留学生本科必修课系列教材 第二版

精读 练习册

Intensive Reading
WORKBOOK

1

汉语 *Jump High*
A Systematic Chinese Course

纵横

汝淑媛 编著
张 锦 翻译

北京语言大学出版社
BEIJING LANGUAGE AND CULTURE
UNIVERSITY PRESS

图书在版编目 (CIP) 数据

汉语·纵横精读练习册. 1 / 汝淑媛编著. — 2版
— 北京：北京语言大学出版社，2011. 9
留学生本科必修课系列教材
ISBN 978-7-5619-3113-4

Ⅰ.①汉… Ⅱ.①汝… Ⅲ.①汉语－对外汉语教学－
习题集 Ⅳ.①H195.4

中国版本图书馆 CIP 数据核字（2011）第 178454 号

书　　　名：汉语·纵横　精读练习册 1
责任印制：汪学发

出版发行：**北京语言大学出版社**

社　　　址：北京市海淀区学院路 15 号　　　邮政编码：100083
网　　　址：www.blcup.com
电　　　话：发行部　010-82303650 / 3591 / 3651
　　　　　　编辑部　010-82303647 / 3592
　　　　　　读者服务部　010-82303653 / 3908
　　　　　　网上订购电话　010-82303668
　　　　　　客户服务信箱　service@blcup.net
印　　　刷：北京画中画印刷有限公司
经　　　销：全国新华书店

版　　　次：2011 年 9 月第 1 版　　　2011 年 9 月第 1 次印刷
开　　　本：889 毫米 ×1194 毫米　　　1/16　　印张：9.5
字　　　数：139 千字
书　　　号：ISBN 978-7-5619-3113-4 / H · 11159
定　　　价：27.00 元

凡有印装质量问题，本社负责调换。电话：010-82303590

目 录 Contents

7

bǎi jīng de jiāo tōng
北京的交通
Traffic in Beijing

一 根据课文内容填空 **Fill in the blanks based on the text**

1. 北京给我_____最深的是：人多，车多，_____十分拥挤。

2. 大街上的汽车一辆_____一辆，_____的时候，常常会_____。

3. 路上堵车堵得很_____，我坐在车里十分_____。

4. 骑自行车不但可以_____身体，而且还不_____空气。

5. 解决交通拥挤的问题就要_____私人汽车，_____公共交通；还要让每一个人都_____交通_____，不要_____红灯。

二 根据课文内容选择正确答案 **Choose the right answers based on the text**

1. 下面哪一项不是"我"对北京的印象？
   A. 北京的人很多　　　　　B. 北京的交通很拥挤
   C. 北京常常堵车　　　　　D. 在北京经常能看见一百多米的自行车队

2. 下面哪一项内容是"我"来北京以前没有想到的？
   A. 北京的人很多　　　　　B. 北京的汽车很多
   C. 中国是个发展中国家　　D. 北京的自行车很多

3. 出租车司机给"我"出了一个什么主意？为什么给"我"出这个主意？
   A. 坐公共汽车，因为坐公共汽车很便宜
   B. 跑步，因为跑步可以锻炼身体
   C. 骑自行车，因为骑自行车不但可以锻炼身体，而且还不污染空气
   D. 闯红灯，因为闯红灯可以更快

4. 下面哪一项不是课文中说到的解决交通问题的办法？
   A. 让大家都骑自行车　　　　　B. 限制私人汽车，发展公共交通
   C. 让每个人都遵守交通规则　　D. 把路口设计得更科学

5. 课文最后说的"让人头疼的词"是指什么?

　　A. 闯红灯　　　　B. 堵车　　　　C. 空气污染　　　　D. 路窄

三 朗读下列词语　Read aloud the following words or phrases

七天多	七十多天	一个多星期	十多个星期
三斤多苹果	三十多斤苹果	两个多面包	二十多个面包
十年多	十多年	三分多钟	三十多分钟
四公里多	四十多公里	一米多	一百多米

四 用线将可以搭配的词语连起来
Draw lines to match the words on the left with the words on the right

发展	规则		打	红灯
解决	空气		开	的 (dī)
污染	身体		排	玩笑
锻炼	公共交通		堵	队
遵守	问题		闯	车

五 选词填空　Choose the words to fill in the blanks

达到	厉害	共同	拥挤	安慰
根本	值得	限制	遵守	印象

1. 昨天晚上我头疼得(　　　　)。

2. 听说今年三月以后北京要(　　　　)私人汽车了。

3. 他是我们(　　　　)的朋友。

4. 每年来我们学校学习的外国学生(　　　　)两千多人。

5. 他上班常常迟到,给大家的(　　　　)很不好。

6. 汉语虽然很难,但是很有用,(　　　　)我们努力学习。

7. 她这次考试没有考好,大家都来(　　　　)她。

8. 今天是星期天,大街上十分(　　　　)。

9. 很多发展中国家交通拥挤,(　　　　)问题是人太多了。

10. 大家都要(　　　　)交通规则。

六 在下列动词后配上合适的词语　Match the following verbs with the right words

1. 上　　　　　例:上课　＿＿＿＿＿＿　　＿＿＿＿＿＿　　＿＿＿＿＿＿

2. 下　　　　例：下课　　_____　　_____　　_____

3. 开　　　　例：开车　　_____　　_____　　_____

4. 打　　　　例：打人　　_____　　_____　　_____

七　**用所给短语提问，并用否定式回答问题，然后再用正反疑问式提问**
Ask questions using the phrases, answer the questions using their negative forms, and then ask questions using their affirmative-negative forms

例：修好→ 那条马路修好了吗？

　　　　　那条马路还没有修好。

　　　　　那条马路修没修好？ / 那条马路有没有修好？

1. 写对　_____

_____

_____

2. 买到　_____

_____

_____

3. 休息好　_____

_____

_____

4. 记住　_____

_____

_____

5. 洗干净　_____

_____

_____

6. 复习完　_____

_____

_____

八 判断下列短语中"多"的位置是否正确，如果错误，请改正

Decide if "多" is in the right position in the following sentences. If there are any mistakes, please correct them

1. 三斤多鸡蛋（　　　）   2. 一百个多学生（　　　）

3. 二十年多　（　　　）   4. 四公里多　　（　　　）

5. 两多分钟　（　　　）   6. 五十本多书　（　　　）

7. 两年多　　（　　　）   8. 三万辆多汽车（　　　）

9. 四十公里多（　　　）   10. 二十分多钟　（　　　）

九 改正下列句子中的错误   Correct the mistakes in the following sentences

1. 我听他说的话懂了。

_____

2. 他的名字我不说错。

_____

3. 昨天他的自行车丢了，今天在马路边找了。

_____

4. 明天我们去电影院看到电影吧。

_____

5. 你要的报纸我在你的桌子上放了。

_____

6. 对不起，你的录音机我没修好了。

_____

7. 现在是九点一刻，商店九点半才开门，我们来到了。

_____

8. 你坐22路公共汽车，坐前门下车，再往前走50米就到了。

_____

十 选择合适的结果补语填空   Choose the right complements of result to fill in the blanks

1. 你的自行车已经修（　　　）了。

 A. 好   B. 坏   C. 错   D. 到

2. 我住（　　　）留学生楼，你呢？

 A. 到   B. 完   C. 在   D. 好

3. 电影已经开始了，你来（　　　）了。
   A. 晚　　　　　　B. 到　　　　　　C. 好　　　　　　D. 吧

4. 今天是星期天，早上我睡（　　　）八点才起床。
   A. 完　　　　　　B. 好　　　　　　C. 在　　　　　　D. 到

5. 对不起，你说的话我没听（　　　）。
   A. 好　　　　　　B. 懂　　　　　　C. 错　　　　　　D. 了

6. 你的衣服就放（　　　）床上。
   A. 好　　　　　　B. 在　　　　　　C. 完　　　　　　D. 住

7. 我不认识你，你认（　　　）人了。
   A. 错　　　　　　B. 对　　　　　　C. 完　　　　　　D. 好

8. 现在开始考试，大家准备（　　　）了吗？
   A. 到　　　　　　B. 在　　　　　　C. 好　　　　　　D. 明白

9. 我的课本丢了，你看（　　　）了吗？
   A. 完　　　　　　B. 在　　　　　　C. 好　　　　　　D. 到

10. 妈妈的话我都记（　　　）了，都记（　　　）心里了。
    A. 住、好　　　　B. 完、在　　　　C. 好、住　　　　D. 住、在

十一 用合适的动词和结果补语填空
Fill in the blanks with the right verbs and complements of result

1. 昨天的作业很多，我（　　　　　）12点才（　　　　　）。

2. 给你一个小时的时间，你能（　　　　　）100个生词吗？

3. 你一直往前走，（　　　　　）22路公共汽车站，再往右拐，就能（　　　　　）
   北师大的校门。

4. 前边有汽车，不要再往前走了，快（　　　　　）！

5. 虽然我们三天前才认识，但是我已经（　　　　　）你的名字了。

6. 你家（　　　　　）哪儿？我送你回去。

7. 你想在留学生宿舍（　　　　　）什么时候？

8. 明天就要考试了，可是我还没有（　　　　　）呢。

9. 我还不知道去北大怎么走，我得先（　　　　　）再去。

10. 上星期我的自行车丢了，现在也没有（　　　　　）。

11. 上课的时候，老师（　　　　　）黑板前面，学生（　　　　　）椅子上。

十二 仿照例子，用结果补语叙述一下你一天的生活

Describe a day in your life with complements of result following the example

例：7：15　　起床

7：15～7：30　　洗澡

7：30～7：50　　吃早饭

我每天早上七点一刻起床，然后洗澡洗到七点半。七点半开始吃早饭，吃到七点五十。_____

_____

十三 造句　Make sentences

1. 值得 _____

2. 印象 _____

3. 从此 _____

4. 还是……吧 _____

5. 我看 _____

十四 阅读理解　Reading comprehension

一位出租车司机

　　小王是北京市一位普通的出租车司机。

　　每天早上不到六点钟他就起床了。妻子做早饭的时候，他就下楼去检查他那辆红色的出租车。每一个地方都要检查好，因为一上路就没有时间再检查了。如果带着客人的时候车出了问题，就会浪费客人的时间，而且很多外地人和外国人对北京的印象都是从出租车开始的，所以他检查得很仔细。妻子做好了早饭，他也检查完了车。一家三口吃完早饭就开始了忙碌的一天。

　　小王每天都是先送儿子到小学，再送妻

普通	pǔtōng	Adj	ordinary
妻子	qīzi	N	wife
检查	jiǎnchá	V	
to check up			
上路	shàng lù	V//O	
to set out on a journey			
客人	kèrén	N	guest
浪费	làngfèi	V	to waste
外地	wàidì	N	part of the
country other than where one lives			
仔细	zǐxì	Adj	careful
忙碌	mánglù	Adj	busy
儿子	érzi	N	son

子去工厂，最后才开始自己的工作。这时一般是早上七点半左右，正是上班时间，应该是生意最好的时候。可是近几年来北京堵车堵得太厉害了，不到五公里的路常常要走半个多小时，所以每天拉的客人也不太多。

小王说，现在出租车司机的工作不容易，工作辛苦，钱也比以前少多了。因为现在私人汽车越来越多，打车的人就越来越少了，而且路也越来越拥挤了。他正考虑换个工作。他觉得汽车修理很不错，不但能挣钱，而且也比开出租车轻松。

小王的午饭和晚饭都不在家里吃，总是一个人吃盒饭，或者在小饭馆里吃。晚上别人都下班回家了，他还不想回家，也许前面就有一个客人在等着他的车呢！

工厂	gōngchǎng	N	factory
生意	shēngyi	N	business
辛苦	xīnkǔ	Adj	toilsome
打车	dǎ chē	V//O	to take a taxi
考虑	kǎolù	V	to consider
修理	xiūlǐ	V	to repair, to fix
挣钱	zhèng qián	V//O	to earn money
轻松	qīngsōng	Adj	easy
盒饭	héfàn	N	lunch

判断正误 Decide if the following statements are true or false

1. 每天早上都是小王的妻子做早饭。 （　　）
2. 小王的儿子是一个中学生。 （　　）
3. 交通堵塞让小王的收入变少了。 （　　）
4. 以后小王还想当出租车司机。 （　　）
5. 开出租车不但比修理汽车累，而且挣钱也少。 （　　）
6. 晚上小王和妻子、儿子去小饭馆吃晚饭。 （　　）
7. 很晚了，小王还不想回家，因为他还想去帮助前面的客人。 （　　）

十五 作文 Write an essay

要求：以下两个题目任选一个，字数为300字以上。

Directions: Choose one of the two topics to write a composition in more than 300 characters.

1. 给你的朋友写一封信，告诉他你对北京的印象。

Write a letter to your friend to tell him about your impression of Beijing.

2.给北京市市长写一封信，告诉他你对解决交通问题的看法。

Write a letter to the mayor of Beijing to tell him your solutions to the traffic problems.

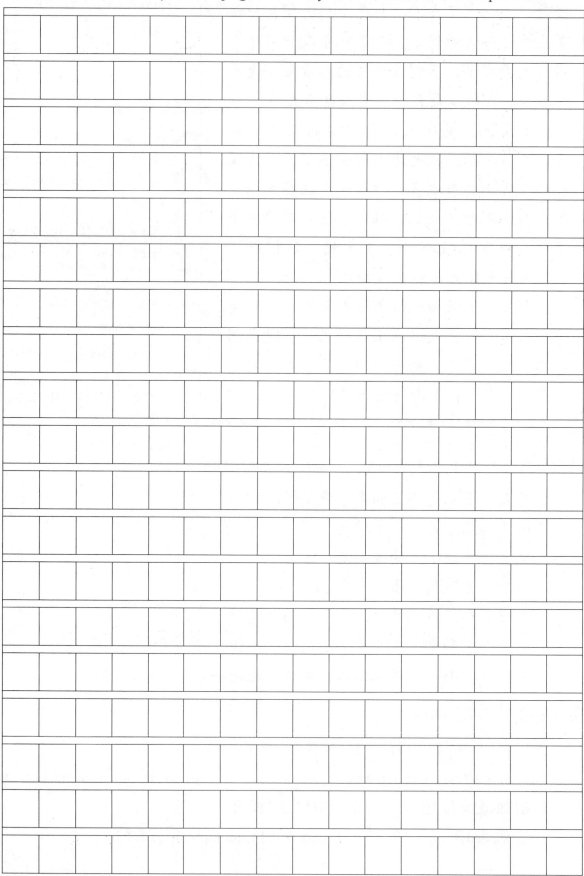

（16×19=304字）

jīn tiān chī shén me

今天吃什么

What shall I eat today

一 根据课文内容填空　**Fill in the blanks based on the text**

1. 对我来说，吃也是一种＿＿＿＿＿＿。可是现在，这个享受成了一件让我＿＿＿＿＿＿的事。

2. 在＿＿＿＿＿＿的日子里，＿＿＿＿＿＿朋友围着热热的、辣辣的火锅，一边涮肉，一边＿＿＿＿＿＿，身体从里到外都是＿＿＿＿＿＿的。

3. 人们越来越觉得吃饭除了有＿＿＿＿＿＿需要以外，还有＿＿＿＿＿＿需要，所以一些饭馆就想了很多办法＿＿＿＿＿＿顾客，＿＿＿＿＿＿人们的这种心理需要。

4. 老年人＿＿＿＿＿＿年轻人要＿＿＿＿＿＿粮食，不要＿＿＿＿＿＿。

二 根据课文内容选择正确答案　**Choose the right answers based on the text**

1. 对我来说，什么事情以前是一种享受，现在让我发愁？
   A. 学校附近的小饭馆　　　　　B. 学习汉语
   C. 中国菜　　　　　　　　　　D. 吃饭

2. 上大学的中国朋友为什么也为吃饭发愁？
   A. 学校的食堂太少了　　　　　B. 食堂的窗口太多了
   C. 不知道请客时该点什么菜　　D. 食堂里饭菜的品种很丰富

3. 下面四种菜中，哪一种还没有在北京流行过？
   A. 粤菜　　　　　　　　　　　B. 川菜
   C. 山西菜　　　　　　　　　　D. 上海菜

4. 现在中国人对饭馆有什么要求？
   A. 饭菜味道好　　　　　　　　B. 干净、漂亮
   C. 服务好　　　　　　　　　　D. 以上都是

9

5. 下面哪个不是饭馆用来吸引顾客的办法?

   A. 只做粗粮饭菜　　　　　　　B. 让顾客从里到外都暖暖和和的

   C. 用毛泽东的名字　　　　　　D. 挂毛泽东的照片

6. 以前中国人为什么也为吃发愁?

   A. 饭菜太丰富　　　　　　　　B. 饭馆太多了

   C. 生活太困难　　　　　　　　D. 要爱惜粮食

三　使用合适的形容词填空，并用搭配好的短语造句

Use the right adjectives to fill in the blanks. Then make sentences with the phrases

1.（　　　　　）的衣服

_____

2.（　　　　　）的日子

_____

3.（　　　　　）的回答

_____

4.（　　　　　）的川菜

_____

5.（　　　　　）的环境

_____

6.（　　　　　）的品种

_____

四　填空　Fill in the blanks

1. 写出符合定义的词语　Write the words corresponding to the definitions given

  （1）（　　　　　　　）是一种涮肉或菜的锅。

  （2）（　　　　　　　）是让人觉得舒服高兴的东西或事情。

  （3）（　　　　　　　）是所有吃的东西的总称。

2. 给下列词语写出合适的定义　Define the following words

  （1）老年人是（　　　　　　　　　　　　　　　　　　　　　）。

  （2）西餐是（　　　　　　　　　　　　　　　　　　　　　　）。

  （3）傍晚是（　　　　　　　　　　　　　　　　　　　　　　）。

  （4）顾客是（　　　　　　　　　　　　　　　　　　　　　　）。

五 选词填空 **Choose the words to fill in the blanks**

| 享受 | 发愁 | 流行 | 吸引 | 聊天儿 | 满足 |
| 选择 | 对比 | 另 | 浪费 | 提醒 | 生意 |

1. 这种颜色现在很（   ）。

2. 你真的已经决定（   ）他做你的丈夫了吗？

3. 一边听音乐一边吃西餐是一种（   ）。

4. 你喜欢跟什么样的人（   ）？

5. 这个问题我回答完了，（   ）一个问题是什么？

6. 她的衣服很漂亮，（   ）了很多人的注意。

7. 只考了60分，他就（   ）了。

8. 这两件衣服的颜色真的不一样，如果不相信，你可以（   ）一下。

9. 他正在为没有找到女朋友（   ）呢。

10. 妈妈（   ）我不要忘了带雨伞。

11. 我最不喜欢等人，那很（   ）时间。

12. 这家饭馆离体育场很近，一有足球比赛（   ）就很好。

六 根据句子的意思，在空白处填上合适的形容词重叠式
Read the sentences and fill in the blanks with the right reduplicated adjectives

1. 那个女孩儿真漂亮，_____的个子，_____的头发，_____的眼睛，吸引了很多人。

2. 我回宿舍的时候，同屋已经睡了。我_____地打开门，_____地走到床边，不想吵醒她。

3. 图书馆里_____的，一排排的书摆在书架上，_____的。

4. 四川菜里有很多_____的辣椒。

5. 她有很多流行的衣服，每天都穿得_____的。

6. 宿舍的服务员工作很认真，每天都给我们把房间打扫得_____的。

七 写出下列句子的疑问形式和否定形式
Write the interrogative form and the negative form of the following sentences

例：去年流行过上海菜。→ 去年流行过上海菜没有？
　　　　　　　　　　　　去年没有流行过上海菜。

1. 我们国家限制过私人汽车。→

_____

2. 来北京以后我打过的，也坐过公共汽车。→

_____

3. 我用筷子吃过西餐。→

_____

4. 我骑自行车去过长城。→

_____

5. 我去过挂着毛泽东照片的饭馆。→

_____

八 将"过"放在下列句子中合适的位置上
Put "过" in the right position in the following sentences

1. 我吃 A 他 B 做 C 的饭菜 D。　　　　　　　（　　）
2. 小李跟他的英语老师用 A 英语 B 聊 C 天儿 D。（　　）
3. 我提醒 A 他不要 B 再跟这种人交 C 朋友 D 了。（　　）
4. 我用 A 汉语 B 回答 C 他的问题 D。　　　　（　　）
5. 我坐 A 他的汽车 B 去 C 长城 D。　　　　　（　　）

九 用合适的动词加"着"填空 Fill in the blanks with "verb + 着"

1. 那家饭馆的墙上_____谁的照片？
2. 食堂的窗口后边_____一盆炒菜。
3. 外边_____雨呢。
4. 汽车都在马路上_____。
5. 他们都在那边_____火锅。
6. 他_____说："今天我请客。"
7. 现在商店的门还_____吗？
8. 他来的时候，我们正_____天儿。
9. 你说的是那台电脑吗？小李正在_____呢，你用这台吧。
10. 你在这儿_____别动，我一会儿就回来。

用括号里的词语完成句子

Complete the sentences with the words or patterns in the parentheses

1. 他说我拿了他的课本，可是我＿＿＿＿＿＿＿＿＿＿＿＿＿＿。（根本）

2. 他说我们以前是好朋友，可是我们＿＿＿＿＿＿＿＿＿＿＿＿。（根本）

3. 来中国以后，他去了很多地方，＿＿＿＿＿＿＿＿＿＿＿＿＿＿＿＿＿。

（除了……以外，还……）

4. 他喜欢吃的饭菜不多，＿＿＿＿＿＿＿＿＿＿＿＿＿＿＿＿＿＿＿。

（除了……以外，都……）

5. 中国菜有很多种类，＿＿＿＿＿＿＿＿＿＿＿＿＿＿＿＿＿。（比如说）

6. 堵车的原因有很多，＿＿＿＿＿＿＿＿＿＿＿＿＿＿＿＿＿。（比如说）

7. 你说错了，＿＿＿＿＿＿＿＿＿＿＿＿＿＿＿＿。（不是……而是……）

8. A：田中为什么没有来上课？是不是病了？

 B：＿＿＿＿＿＿＿＿＿＿＿＿＿＿＿＿＿。（不是……而是……）

9. 他＿＿＿＿＿＿＿＿＿＿＿＿＿＿＿＿，每天都骑自行车上下班。（为了）

10. 他＿＿＿＿＿＿＿＿＿＿＿＿＿＿＿＿，去年搬家了。（为了）

十一 **阅读理解** Reading comprehension

谁来付账

在饭馆里，经常会看见几个中国人在一起大声地吵着什么，你别误会，他们不是喝醉了，也不是吵架，而是在争着付账。

中华民族是一个很爱面子的民族。几个人一起去吃饭，在吃饭以前如果没有说好谁请客，吃饭以后每一个人都要争着付账。要是其他人都争着付账，大家就会觉得不争着付账的人很小气，不

付账	fù zhàng	V//O	to pay the bill
吵	chǎo	V	to quarrel
误会	wùhuì	V	to misunderstand
醉	zuì	V	to get drunk
吵架	chǎo jià	V//O	to quarrel
争	zhēng	V	to compete (for)
面子	miànzi	N	face, reputation
小气	xiǎoqi	Adj	stingy

愿意跟他做朋友。所以吃饭可能是件小事，可是付账不是小事。

可是现在中国有很多像我一样的外国人，我们的习惯跟中国人不一样。我们跟别人一起吃饭的时候如果不说"我请客"，意思就是各付各的。可是在中国，主动邀请别人去吃饭的人应该是付账的人，所以如果中国人说"我们一起吃饭吧"，意思就是说话的人要请客。虽然一起去的人也要客气地表示愿意付账，可是最后都是邀请的人付账。所以当我第一次跟中国朋友吃完饭，我只付了自己那一部分钱的时候，我的中国朋友有点儿吃惊，不过他没有说。我知道了中国人的这个习惯以后，觉得很尴尬。

那么跟中国朋友吃饭时，应该怎么说清楚谁付账的问题呢？我一般说："我们AA制好吗？"大家就都清楚了，意思是各付各的。不过因为现在很多中国人也了解了我们的习惯，"我们一起去吃饭"的意思就是AA制，"我请你吃饭"的意思才是"我付账"，所以现在中国人跟外国人一起吃饭时一般不会出现为谁付账发愁的情况了。可是中国人自己一起吃饭的时候，付账的问题还是一个大问题。这大概就是中国的风俗习惯吧。

愿意	yuànyì	OpV
to be willing		
别人	biéren	Pr others
各付各的	gè fù gè de	
to go Dutch		
主动	zhǔdòng	Adj
of one's own accord		
邀请	yāoqǐng	V to invite
说话	shuō huà	V//O
to speak		
客气	kèqi	Adj polite
尴尬	gāngà	Adj
embarrassed		
风俗	fēngsú	N custom

判断正误 Decide if the following statements are true or false

1. 吃完饭后一些人在一起争着什么，那是在吵架。 （　　）
2. 在中国，付账比吃饭更重要。 （　　）
3. 中国人不喜欢不争着付账的人。 （　　）
4. "我"的朋友有点儿吃惊是因为"我"没有付钱。 （　　）
5. 中国人说的"我们一起吃饭吧"的意思跟外国人的理解不一样。 （　　）

6. "AA 制"的意思是两个人一起付账。 （ ）

7. 现在中国人一起吃饭时，谁付账的问题还是一件让人发愁的事。（ ）

十二 作文 Write an essay

《我最喜欢的一家饭馆》

要求：介绍一家你最喜欢的饭馆，要写出那家饭馆的价位、特点和你喜欢它的原因。300 字以上。

Directions: Introduce one of your favorite restaurants. Please write its food prices, characteristics and why you like it in more than 300 characters.

（16×19＝304 字）

3 讲价
Bargaining

一 **根据课文内容填空** Fill in the blanks based on the text

1. 虽然我是一个_____学生，但是我喜欢_____，所以买东西是我的一个爱好。

2. 来中国以前，我_____不会讲价。因为在我们国家，商店里的东西都有_____的价格，一般不能讲价，但是常常_____。

3. 我买过三次东西，上过三次_____，这使我又生气又_____。从此，我_____一定要学会讲价。

4. 卖东西的人有时候会_____说一个很高的价钱，有时候会_____他的东西_____很好。

5. 我的汉语也越来越_____了。我的朋友都很_____我，问我有什么_____。

二 **根据课文内容选择正确答案** Choose the right answers based on the text

1. "我"为什么对讲价最感兴趣？
   A. 因为"我"喜欢了解市场行情　　　B. 因为"我"很有钱
   C. 因为"我"喜欢讲价　　　　　　　D. 因为"我"没有钱

2. "我"为什么要下决心学习讲价？
   A. 因为"我"要了解别人的心理
   B. 因为"我"要跟卖东西的人交朋友
   C. 因为"我"要练习汉语
   D. 因为"我"不想再上当

3. 为什么说讲价是一门学问？
   A. 因为讲价不但需要了解市场行情，还需要了解卖东西的人的心理
   B. 因为讲价时得说汉语

C. 因为讲价前得先读课文

D. 因为需要少花钱

4. 如果卖东西的人强调他的东西质量很好，不能便宜，你应该怎样回答？

A. "我"回答："我"是一个穷学生

B. "我"回答：别的地方有同样的但更便宜的东西

C. "我"不回答，马上就走

D. "我"回答：不便宜就不买了

5. 学会讲价有什么好处？

A. 可以跟卖东西的人交朋友　　　　B. 可以练习汉语

C. 可以买到又便宜又好的东西　　　　D. 以上都是

三　在括号里填上合适的形容词　**Fill in the blanks with the right adjectives**

（　　　　）的汉语　　　　　　　　（　　　　　　）的价格

（　　　　）的东西　　　　　　　　（　　　　　　）的经验

四　在括号里填上动词合适的宾语

Fill in the blanks with the right objects of the verbs

讲（　　　　）　　　　下（　　　　）　　　　上（　　　　）

付（　　　　）　　　　试（　　　　）　　　　打（　　　　）

交（　　　　）　　　　降（　　　　）　　　　加（　　　　）

五　在括号里填上合适的名量词或动量词

Fill in the blanks with the right nominal measure words or verbal measure words

1. 一（　　　）商店　　　　一（　　　）学问　　　　一（　　　）朋友

2. 去一（　　　）商店　　　上一（　　　）当　　　　读一（　　　）课文

　　了解一（　　　）情况　　看一（　　　）电影　　　跑一（　　　）市场

六　选词填空　**Choose the words to fill in the blanks**

| 兴趣 | 价格 | 决心 | 经验 | 故意 | 首先 |
| 质量 | 美慕 | 情况 | 总是 | 事先 | 了解 |

1. 不要跟不（　　　　　　）的人交朋友。

2. 对不起，我对空气污染问题没有（　　　　　　　），你去跟别人谈吧。

3. 他的汉语说得这么好，真让人（　　　　）。

4. 这个人很有（　　　　），我们应该好好儿向他学习。

5. 北京的交通很拥挤，政府已经下（　　　　）解决这个问题了。

6. 我觉得这个商店东西的（　　　　）有点儿高。

7. 他（　　　　）迟到。

8. 一般来说，价钱高的东西（　　　　）比较好。

9. 我已经有三年没有来中国了，对中国现在的（　　　　）不太清楚。

10. 你要想买到好东西，（　　　　）应该知道市场行情。

11. 你来我家以前请（　　　　）打个电话。

12. 他（　　　　）不告诉我们事情的真相。

七 用"次"、"遍"、"下"、"趟"填空　Fill in each blank with "次","遍","下" or "趟"

1. 老师说，今天的作业是写生词，每个生词写三（　　　　）。

2. 他刚刚出去，很快就回来，你等他一（　　　　），好吗？

3. 只打电话不能解决这个问题，你还是自己来一（　　　　）吧。

4. 对不起，请你再说一（　　　　）。

5. 昨天他为买这本汉语书去了三（　　　　）书店。

6. 这本书太好了，她每看一（　　　　）都要哭一（　　　　）。

7. 别人现在都没有时间，就请你跑一（　　　　）吧。

8. 对不起，请帮我开一（　　　　）门好吗？

9. 去年我们只见了两（　　　　）面。

10. 下面我们再听一（　　　　）录音。

八 将括号里的词放在合适的位置上　Put the words in the parentheses in the right positions

1. 昨天我去找 A 了 B 三 C 次 D，他都不在。（他）

2. 我来北京后，上 A 了 B 很多 C 次 D。（当）

3. 你帮我 A 拿 B 一 C 下 D 吧。（那件衣服）

4. 你帮 A 我 B 叫 C 一下 D。（他）

5. 到了中国，我想 A 先 B 参观 C 一下 D。（故宫）

九 用下列给出的词语替换句中的画线部分
Substitute the underlined parts in the example sentences with the given phrases

1. 这　　　　　使　　　　我　　　　又生气又难过。

这个考试	我	很发愁
他流利的汉语	同学们	很羡慕
你说的话	大家	都很不好意思
这个孩子	父母	很头疼
商店的打折广告	很多人	买了不少没用的东西
这张照片	我	想到了我家乡的冬天

2. 我　　　越　　　试　　　越　　　觉得有意思。

川菜	吃	好吃
我	看	喜欢
汉语	学	难
他	长	像他爸爸
我的钱	花	少

3. 你　　越　　着急，　我　　越　　不告诉你。

孩子	努力	父母	高兴
他	说	我	发愁
汽车	多	马路	拥挤
老师	讲	我	不明白
他	开玩笑	他的女朋友	生气

十 用括号里给出的词语完成句子　Complete the sentences with the words in the parentheses

1. 他_____，就没有带伞。（以为）

2. 我_____，所以就迟到了。（以为）

3. 我以为北京没有多少汽车，_____。（其实）

4. 他以为在北京所有的地方都可以讲价，_____。（其实）

5. A：我听说你很了解这里的行情。

 B：我也是刚来，＿＿＿＿＿＿＿＿＿＿＿＿＿＿＿＿＿＿＿。（并）

6. 开始我以为他应该很有钱，后来才发现他＿＿＿＿＿＿＿＿＿＿。（并）

7. 刚开始学习的时候他并不喜欢汉语，可是＿＿＿＿＿＿＿＿＿＿＿＿。

 （越 A 越 B）

 8. 他＿＿＿＿＿＿＿＿＿＿＿＿＿，我＿＿＿＿＿＿＿＿＿＿＿。（越 A 越 B）

9. 现在时间不早了，明天＿＿＿＿＿＿＿＿＿＿＿＿＿＿＿＿。（再）

10. 现在堵车，＿＿＿＿＿＿＿＿＿＿＿＿＿＿＿＿＿＿＿＿。（再）

11. A：你们班有多少人？

 B：＿＿＿＿＿＿＿＿＿＿＿＿＿＿＿＿＿＿＿＿＿＿＿。（几）

12. A：你来中国以后认识了很多新朋友吧？

 B：对，＿＿＿＿＿＿＿＿＿＿＿＿＿＿＿＿＿＿＿＿＿。（几）

13. A：在你们国家，什么时候商店打折打得最多？

 B：＿＿＿＿＿＿＿＿＿＿＿＿＿＿＿＿＿＿。（一般来说）

14. A：朋友过生日，你会送什么礼物？

 B：＿＿＿＿＿＿＿＿＿＿＿＿＿＿＿＿＿＿。（一般来说）

十一 阅读理解 **Reading comprehension**

阿凡提的故事

　　阿凡提是个很聪明的人，也很热心。很多穷人碰到困难都来找他。

　　一天，一个穷人来到阿凡提家说："亲爱的阿凡提，刚才我在有钱人巴依家的饭馆门口站了一会儿，他就一定要让我给他饭钱，因为我闻到了他饭馆里饭菜的香味。我没有钱，他说要去我家拿东西，我该怎么办呢？"

　　阿凡提安慰他说："别着急，我陪你一

阿凡提	Āfántí	PN

Avanti, a Uygur legendary character

阿凡提　Āfántí　PN
Avanti, a Uygur legendary
character
热心　rèxīn　Adj
warm-hearted
困难　kùnnan　N　difficulty
巴依　Bāyī　PN
"rich person" in Uygur language
闻　wén　V　to smell
香味　xiāngwèi　N　aroma

起去一趟巴依家吧。"

到了巴依家，阿凡提对巴依说："这个人是我的朋友，他没有钱，他欠你的饭菜钱我替他还。"他一边说，一边给巴依看一个小口袋，然后摇了一下口袋，口袋"哗啦、哗啦"地响了几下。

他问巴依："这是什么在响啊？"巴依以为阿凡提要给他口袋里的钱，连忙说："是钱，是钱在响！""那你听到了吗？"阿凡提又问。"听到了，听到了！快给我吧！"巴依有点儿着急了。

"好了，巴依，我的朋友闻了一下你的饭菜的香味，你也听了一下我的钱的响声，现在我们的账已经算清楚了。"

说完，阿凡提就跟那个穷人一起走了。

欠　qiàn　V　to owe
口袋　kǒudai　N　pocket
摇　yáo　V　to shake
哗啦　huālā　Ono　clatter
响　xiǎng　V　to make a sound
连忙　liánmáng　Adv　hurriedly

算　suàn　V
to get even with sb.

判断正误　Decide if the following statements are true or false

1. 巴依让穷人给他钱是因为穷人在他的饭馆吃了饭不给钱。　（　　）
2. 阿凡提替穷人给了巴依一小口袋钱。　（　　）
3. 穷人来找阿凡提是因为阿凡提是个好人，也有很多好办法。　（　　）
4. 阿凡提用巴依的办法对付巴依。　（　　）
5. 巴依以为自己很聪明，可是没想到阿凡提比他更聪明。　（　　）

十二 作文　Write an essay

《购物趣话》

要求：你在买东西的时候有没有碰到过有趣的事情？你有没有听说过关于买东西的有趣的故事？请写一写购物中的趣事。300字以上。

Directions: Did you run into something interesting when you were shopping? Did you hear of interesting stories about shopping? Please write them in more than 300 characters.

（16×19=304 字）

zū tào fáng zi zhù
租套房子住
Renting an apartment

◢ 一 根据课文内容填空　**Fill in the blanks based on the text**

1. 我和同屋的＿＿＿＿＿＿＿完全＿＿＿＿。他喜欢＿＿＿＿，我喜欢＿＿＿＿。

2. 我花了两个多星期的时间＿＿＿＿了学校周围的房子，最后＿＿＿＿找到了一套让我比较＿＿＿＿的公寓。

3. 公寓的＿＿＿＿里有做饭用的＿＿＿＿东西，我马上就可以开始自己＿＿＿＿的生活了。

4. 这套房子的＿＿＿＿就是房租有点儿贵，各种＿＿＿＿都要自己付。

5. 我们租的公寓每人每月＿＿＿＿付一千元，我们已经跟房东＿＿＿＿好了租房＿＿＿＿。

◢ 二 根据课文内容选择正确答案　**Choose the right answers based on the text**

1. "我"来北京多长时间了？
   A. 一个月
   B. 不到一个月
   C. 一个多月
   D. 两个多星期

2. 下面哪一项不是"我"想换房间的原因？
   A. "我"和同屋的性格相反
   B. "我"和同屋的生活习惯相反
   C. "我"同屋常常很晚才回来
   D. "我"同屋尽量避免打扰"我"

3. "我"租的公寓有什么好处？
   A. 离学校很近
   B. 买东西很方便
   C. 公寓里有生活用的一切东西
   D. 以上都是

4. 下面哪一项不是这套公寓的缺点？
   A. 房租有点儿贵
   B. 各种费用要自己付
   C. 没有电梯
   D. 另一个房间没有人住

24

5. "我"的同学不住在哪儿?

　　A. 宾馆　　　　　　　　　　　B. 留学生宿舍

　　C. 中国人家里　　　　　　　　D. 在校外租的房子

三　写出下列词语的反义词　Write the antonyms of the following words

多数——　　　　热闹——　　　　单人——　　　　优点——

四　在括号里填上合适的量词　Fill in the blanks with the right measure words

一(　　　)公寓　　　一(　　　)卧室　　　一(　　　)床

一(　　　)沙发　　　一(　　　)被子　　　一(　　　)床单

五　在画线处填上合适的词,组成词或短语

Fill in the blanks with the right words to make words or phrases

_____费、　_____费、　_____费　　_____点、　_____点、　_____点

_____数、　_____数、　_____数　　付_____、　付_____、　付_____

租_____、　租_____、　租_____　　合_____、　合_____、　合_____

六　选词填空　Choose the words to fill in the blanks

> 尽量　　避免　　打扰　　分别　　终于　　影响　　仿佛

1. 请(　　　　　)给小张和小李打电话。

2. 我们应该(　　　　　)在堵车的时候出去,这样可以节约很多时间。

3. 不同的生活习惯(　　　　　)了他们两个人的关系。

4. 虽然生病了,可是我还是(　　　　　)去上课。

5. 听到这首老歌,我(　　　　　)又回到了十年前。

6. 他正在工作,请不要(　　　　　)他。

7. 老师讲了很多遍,我(　　　　　)明白了这个句子的意思。

七　在画线处填上合适的趋向补语

Fill in the blanks with the right directional complements

1. 你上_____吧,他在楼上等你。(说话人在楼下)

2. 你过_____看,这里的风景漂亮极了!

3. 小李出_____了,你过一会儿再打电话,好吗?(说话人在小李的房间)

4. 我的女儿已经回_____了,你女儿还没回_____吗?

(说话人在自己家里给朋友打电话)

5. 张老师和学生一起从山上下_____了。（说话人在山下）

6. 我看见小张进电影院_____了，现在还没出_____。

（说话人在电影院外）

7. 放假以后你回国_____吗？

8. 我得给小张送书_____，他明天上课还要用呢。

9. 别着急！你看，我帮你找_____了修车的师傅。

10. 我正忙着考试，不能参加他的生日晚会，可是我请朋友给他带_____了生日礼物。

八 将括号里的趋向补语放在合适的位置上
Put the directional complements in the parentheses in the right positions

1. 他的女朋友给他送 A 了早饭 B。（来）

2. 她今年夏天不想回 A 日本 B 了。（去）

3. 你找小张吗？他上 A 楼 B 了。（去）

4. 那里的风景很美，别忘了带 A 照相机 B。（去）

5. 你来的时候请给我带 A 本流行杂志 B，好吗？（来）

九 将下列无主句放在合适的句子里
Put the following subjectless sentences in the right sentences

有人偷东西	要下雨了	祝你一路平安	上课了
有人在唱歌	请不要吸烟	有人给你打电话	

1. 听，_____。

2. _____，大家不要说话了。

3. _____，不要忘了带伞。

4. 今天上午你去上课的时候，_____，可是我不知道是谁。

5. 这里是公共场所，_____。

6. 火车就要开了，_____！

7. 我的手表不见了，_____！

十 看图说话 **Talk about the following pictures**

要求：尽量使用简单趋向补语：出来、上来、上去、回去……

Directions: Use as many simple directional complements as possible: "出来"，"上来"，"上去"，"回去"...

 十一 造句 **Make sentences**

1. 只要……就……

_____

2. 先……，然后……，最后……

_____

3. ……以下

_____

4. 像……一样

_____

 十二 阅读理解 **Reading comprehension**

（一）应该住在哪儿

北京越来越大了，房子也越来越多了，"住在哪儿"成了一个让很多人都头疼的问题。

以前中国人的住房都是单位分的，单位的房子在郊区，你就得去郊区住；单位的房子在市中心，你就得去市中心住，没有别的选择。可是，现在就不同了，单位不管个人的房子了，每个人都得自己去买房子。市场上的商品房到处都有，在不同的地区，有不同的价钱，环境也不一样。如果你有钱，选择就不是问题。只要有钱，就能买到各方面都满意的房子。可是对收入有限的普通老百姓来说，买哪里的房子就很难决定了。

离单位近的房子上下班很方便，可以省很多时间。可是这样的房子大部分都在城里，价钱都很高，面积也不大。郊区的房子面积很大，环境和空气都很好，价钱只有市区的四分之一，可是离单位又太远。北京的交通很拥挤，经常堵车，每天在路上浪费时间不值得。有人说住房的位置决定了一个人的生活方式，这话还真有些道理。你喜欢住在郊区的大房子里，每天开车进城来，晚上再回家去呢，还是喜欢住在城里的小房子，周末或放假的时候出城去呼吸新鲜空气、享受开阔的空间呢？

住房 zhùfáng N	residence, house
单位 dānwèi N	unit (as an organization, a department, etc.)
分 fēn V	to allot
郊区 jiāoqū N	suburb
管 guǎn V	to provide
个人 gèrén N	individual
商品房 shāngpǐnfáng N	commercial housing
收入 shōurù N	income
有限 yǒuxiàn Adj	limited
位置 wèizhi N	location
方式 fāngshì N	style, way, mode
呼吸 hūxī V	to breathe
开阔 kāikuò Adj	open, wide
空间 kōngjiān N	space

判断正误 Decide if the following statements are true or false

1. 以前，中国人不能自己选择自己的住房。　　　　　　　　（　）

2. 现在所有的中国人都可以买到各方面都使自己满意的住房。（　）

3. 市中心的房子比较贵。　　　　　　　　　　　　　　　　（　）

4. 如果花同样的钱，在郊区买的房子可能比在市区买的房子大四倍。

　　　　　　　　　　　　　　　　　　　　　　　　　　　（　）

5. 住在郊区的人和住在市中心的人有不同的生活方式。　　　（　）

（二）广告

租房广告

北太平庄　　　一室一厅 50m^2　　　三气电话精装家具　2000（可月付）

联系电话：68248888

求租广告

公司职员急租北三环附近居室房一套，一居二居均可，可年付，免中介。

64885678　张小姐

读上面的两则广告，说一说它们分别告诉了我们哪些信息

Read the two advertisements and discuss the information provided

十三 作文　**Write an essay**

《合租广告》

要求：假设你租了一套两居室的公寓，想找一个同屋，请写一则寻求同屋的合租广告，在广告中要说明房子的位置、条件、价钱等，也要说明你对同屋的要求。100 字以下。

Directions: Suppose you rent a two-bedroom apartment and are looking for a roommate. Write an advertisement, specifying the location, condition and price of the apartment and what type of roommate you are looking for in fewer than 100 characters.

（16×7=112字）

lǐ míng de zhōu mò shēng huó
李明的周末生活
Li Ming's weekend

一 根据课文内容填空　**Fill in the blanks based on the text**

1. 李明平时_____工作，到了周末才能好好儿_____一下。可是最近他已经_____几个周末都没有休息了。

2. 李明_____到了酒吧，可是小丽并没有_____来。十五分钟以后，小丽才_____地从马路对面跑过来。

3. 周末是他们_____的休息时间，小丽觉得逛商场是最好的休息_____，李明认为_____才能达到最好的休息_____。

4. 李明现在的心情_____不太好，_____了小丽的意思。

5. 李明给小丽打了一个电话_____，小丽有点儿_____，但是终于还是_____他了。

二 根据课文内容选择正确答案　**Choose the right answers based on the text**

1. 李明为什么连续几个周末都没有休息？
   A. 因为他喜欢拼命工作　　　　B. 因为公司要加班
   C. 因为他得陪小丽逛商场　　　D. 因为他得开会

2. 李明给小丽打电话，为什么刚打通就断了？
   A. 小丽喜欢发短信　　　　　　B. 小丽不愿意接他的电话
   C. 小丽正在开会　　　　　　　D. 小丽想在酒吧跟李明说话

3. 李明和小丽在什么问题上有矛盾？
   A. 怎么度过周末　　　　　　　B. 去哪家酒吧
   C. 谁先赔礼道歉　　　　　　　D. 打电话还是发短信

4. 关于礼拜天的早晨李明为什么不睡懒觉，下面哪一项是不对的？
   A. 他要陪小丽逛商场　　　　　B. 爱情比睡懒觉更重要
   C. 他喜欢小丽　　　　　　　　D. 他觉得逛商场是最好的休息方式

5.陪小丽逛商场时，李明觉得怎么样？

    A.很有趣　　　　B.很无聊　　　　C.很抱歉　　　　D.很伤心

三　给下列动词加上合适的宾语　Match the following verbs with the right objects

约_____　　　　逛_____　　　　举_____　　　　拉_____

睡_____　　　　爬_____　　　　抢_____　　　　扔_____

四　选词填空　Choose the words to fill in the blanks

平时	拼命	急忙	原谅	准时
对面	收拾	伤心	道歉	按时

1.对不起，是我错了，我向你（　　　　），请你（　　　　）。

2.你们的房间很乱，现在我已经（　　　　）好了。

3.他不愿意浪费别人的时间，所以每次约会他都很（　　　　）。

4.他为了全家每天都（　　　　）工作。

5.我家就住在你家（　　　　），有时间来聊天儿吧。

6.公共汽车来了，他（　　　　）跑过去。

7.他（　　　　）每天去上班，周末去学校学习。

8.听到自己没有通过考试，他很（　　　　）。

9.这种药一天三次，一次两片，要记住（　　　　）吃。

五　仿照例句，用其他复合趋向补语替换句子中的复合趋向补语，并重新说明说话人的位置

Substitute the compound directional complements in the sentences following the example. Then specify where the speakers are

例：王老师走进教室来对同学们说："大家早上好！"（说话人在教室里）

　　→王老师走进教室去对同学们说："大家早上好！"（说话人在教室外）

1.你们爬上山来就会发现这里的风景多么美丽了。（说话人在山上）

　　→_____

2.快跳下来吧，屋里的火已经越来越大了！（说话人在楼下）

　　→_____

3.老奶奶一个人走过马路来了，她的眼睛不好，我们应该帮帮她。

　　　　　　　　　　　　　　　　　　　　　　　（说话人在老奶奶的对面）

　　→_____

4. 我忘了拿书包，你能帮我拿上来吗？（说话人在楼上）

    → _____

5. 他已经到了教室，可是又急急忙忙跑回宿舍去了。（说话人在教室）

    → _____

六 根据说话人的位置，在下列句子中填上合适的复合趋向补语

Fill in the blanks with the right compound directional complements in the following sentences according to where the speakers are

1. 我的课本就在书包里，你自己去拿_____吧。

2. 这家小吃店的小吃很不错，我想买一点儿带_____给朋友们尝尝。

3. 他在中国买了一个火锅，准备带_____国_____。

4. 我们正坐着聊天儿，他突然站_____向对面的那个孩子跑_____。

5. 我的女朋友从外边跑_____对我说："我们今天晚上不能去酒吧了，我要准备明天的考试。"

6. 我的帽子挂在树上了，你爬_____树_____帮我拿_____好吗？

7. 那个服务员看见一个客人走_____宾馆_____，急忙走_____帮他从门外拿_____行李_____。

8. 我坐在游泳池这边看他游泳，他跳_____游泳池_____，从对面很快地向我游_____，然后爬_____问我："你看我游得怎么样？"

9. 你看，那个坏人从楼里跑_____了，我们快跑_____抓住他。

10. 我们走_____那家酒吧_____，刚找了一个座位坐_____，一个服务员就走_____问我们："二位，要啤酒还是咖啡？"

七 给括号里的词语选择一个合适的位置

Put the words in the parentheses in the right positions

1. 他已经买好了飞机票，准备一放假就 A 飞 B 回 C 去 D。（日本）

2. 他 A 爬 B 上 C 去 D，兴奋地向山下的我们喊："快上来吧，这里的风景美极了！"（山）

3. 售货员从柜台里 A 拿 B 出 C 来 D 说："这种啤酒你喝过吗？"（一瓶啤酒）

4. 我还没 A 走 B 进 C 去 D（他的房间），就看见一个书包从里面扔 A 出 B 来 C。
                                                  （了）

5. 小张和女朋友回A老家B去C。（了）

 用下面的短语造句，并说明说话人所在的位置

Make sentences with the following phrases and specify where the speakers are

1. 拿上来_____

2. 跑回去_____

3. 走过来_____

4. 飞进来_____

5. 坐起来_____

 看图说话，尽量多用复合趋向补语

Talk about the pictures and use as many compound directional complements as possible in your description

最后一个苹果

备选词语：

You can choose from the following words:

1. 摇　yáo　　V　　to shake　　　　2. 勾　gōu　　　　V　　to hook

3. 落　luò　　V　　to drop, to fall　　4. 拐杖 guǎizhàng　N　　walking stick

十 用括号里的词语完成句子 **Complete the sentences with the words in the parentheses**

1. 我_____，可是现在我学的是汉语。（本来）

2. 我_____，可是没想到让他更生气了。（本来）

3. 他在中国住了十年，_____。（不得了）

4. 马克的汉语很好，同学们都_____。（不得了）

5. 我刚想要说话，听到他故意咳嗽了一声，我_____。
（一下子）

6. 她说完以后，大家都笑了，她的脸_____。
（一下子）

7. 他是一个很努力的学生，_____。（往往）

8. 男人跟女人吵架的时候，男人_____。（往往）

9. 他今天上课迟到了，_____。（原来）

10. 小王买的东西总是又好又便宜，_____。（原来）

十一 阅读理解 **Reading comprehension**

嫦娥奔月

在很久很久以前，天上有十个太阳。大地在这十个太阳下面就像火炉一样，人们想了很多办法也不能解决问题。那时有一个叫羿的小伙子，他力气很大，他想，如果天上只留一个太阳该有多好啊！

于是他拿起弓箭来，使劲儿朝天上的太阳射去。羿的箭法很好，

嫦娥	Cháng'é	PN	a legendary girl who took the divine medicine and flew to the moon
奔	bèn	V	to run quickly, to rush
太阳	tàiyáng	N	the sun
大地	dàdì	N	the earth
火炉	huǒlú	N	stove
那时	nàshí	Pr	at that time
羿	Yì	PN	a surname
力气	lìqi	N	strength
弓箭	gōngjiàn	N	bow and arrow
使劲儿	shǐ jìnr	V//O	to exert all one's strength
射	shè	V	to shoot
箭法	jiànfǎ	N	archery

一会儿，九个太阳就都掉下来了。人们高兴极了，让羿做了他们的大王。

天上的神仙为了奖励羿做的好事，送给他一种药，说："这些药如果吃一半，就可以长生不老，永远都不会死；如果都吃了，就会飞上天来。"

羿有一个美丽的妻子叫嫦娥，她听说了这种可以长生不老的药以后马上就想吃，羿劝她说："先不要着急，等我忙完今天的事，晚上我们再一起吃吧。"晚上羿很忙，没有回家，嫦娥太着急了，就趁羿不在，偷偷地尝了尝这种药。可是吃了一半以后，她并没有特别的感觉，就又拿起剩下的一半来都吃完了。

药一吃下去，嫦娥马上就飘了起来，而且越飘越高，慢慢地飘到月亮上去了。月亮上没有人，也没有树，到处都冷得不得了。嫦娥后悔极了，可是她再也飞不回去了，只能一个人寂寞地住在月亮上，看着下面的地球掉眼泪。

如果天气好的话，你抬起头来还能看到月亮上好像有一个人影儿，人们说那就是寂寞的嫦娥。

掉　diào　V　to fall, to drop

大王　dàwáng　N　king
神仙　shénxiān　N　immortal being
奖励　jiǎnglì　V　to award
好事　hǎoshì　N　good deed
长生不老　cháng shēng bù lǎo
immortal

劝　quàn　V　to persuade

趁　chèn　Prep　to take advantage of

偷偷　tōutōu　Adv　stealthily

拿　ná　V　to hold, to take
剩　shèng　V　to be left (over)
飘　piāo　V　to float

月亮　yuèliang　N　the moon
后悔　hòuhuǐ　V　to regret

地球　dìqiú　N　the earth
眼泪　yǎnlèi　N　tears

人影儿　rényǐngr　N　human figure

判断正误 **Decide if the following statements are true or false**

1. 以前人们希望天上只有一个太阳。 （　）
2. 后羿请神仙帮忙射下了九个太阳。 （　）
3. 人间的普通人不能长生不老。 （　）
4. 后羿很想和嫦娥一起飞上天去。 （　）
5. 嫦娥知道如果吃了所有的药就会飘上天去。 （　）
6. 嫦娥飘到月亮上是因为她觉得地上太热了，月亮上很凉快。 （　）
7. 嫦娥飞走后，没有了药，后羿最后会死的。 （　）

十二 作文　Write an essay

《一个愉快的／伤心的周末》

要求：在你度过的周末中，哪一个周末过得最愉快？为什么？哪一个周末过得最伤心？为什么？请写一个给你留下深刻印象的周末。300 字以上。

Directions: Among all your weekends, which is the most pleasant/the saddest one? Why? Please write a weekend that impressed you the most in more than 300 characters.

（16×19=304 字）

dān yuán cè shì yī   yī wǔ kè

单元测试一（1~5课）
Unit Test 1 (Lessons 1~5)

（60分钟）

(60 minutes)

一 根据拼音写汉字（12分，每题1分）
Write the characters according to the *pinyin* (1 mark for each question with a total of 12 marks)

yōngjǐ	wūrǎn	ānwèi	duànliàn
( )	( )	( )	( )

qīnqi	tíxǐng	shāokǎo	jīngyàn
( )	( )	( )	( )

xiànmù	zhìliàng	bìmiǎn	yǐngxiǎng
( )	( )	( )	( )

二 选词填空（23分，每题1分）
Choose the words to fill in the blanks (1 mark for each question with a total of 23 marks)

1. 他下车后发现钱包不见了，十分_____。

   A. 急忙   B. 着急   C. 抱歉   D. 拥挤

2. 这个地方小偷很多，很不_____。

   A. 安静   B. 安慰   C. 安全   D. 安心

3. 人多、车多是造成北京常常堵车的_____原因。

   A. 根本   B. 本来   C. 根据   D. 原来

4. 如果人人都_____交通规则，就不会堵车了。

   A. 尊敬   B. 尊姓   C. 遵从   D. 遵守

5. 这样的衣服今年已经不_____了，你太过时了。

   A. 流水   B. 流感   C. 通行   D. 流行

6. 马路上，一个孩子坐在地上大哭，旁边_____着很多人在安慰他。
    A. 拉   B. 围   C. 放   D. 挨

7. 对顾客来说，周到的服务很_____。
    A. 需要   B. 要求   C. 重要   D. 次要

8. 对不起，我不能_____你的这个要求。
    A. 满足   B. 满意   C. 丰富   D. 享受

9. 下雨了，妈妈_____我不要忘了带伞。
    A. 提高   B. 告诉   C. 说   D. 提醒

10. 一般来说，大商场里的东西的价格都是很_____的。
    A. 明确   B. 明白   C. 决定   D. 相信

11. 我对各个国家的交通规则都很有_____。
    A. 趣味   B. 味道   C. 兴趣   D. 感兴趣

12. 虽然我这次考试考得不好，但是我下_____下次一定要考好。
    A. 决定   B. 决心   C. 抉择   D. 信心

13. 他_____自己的自行车质量非常好，说："你骑二十年都不会坏。"
    A. 强调   B. 讨厌   C. 愿意   D. 了解

14. 我买东西总是上当，现在我对买东西已经_____没有兴趣了。
    A. 全部   B. 完成   C. 一切   D. 完全

15. 我跑了很多家书店，_____在一家小书店里发现了这本书。
    A. 终点   B. 终于   C. 首先   D. 其次

16. 我去看房子的时候，房东教我怎么_____热水器。
    A. 费用   B. 作用   C. 使用   D. 通用

17. 我买三个水果面包、三个巧克力面包和三个奶油面包，请给我_____装在三个袋子里。
    A. 互相   B. 共同   C. 独立   D. 分别

18. 我_____住在城里，放假了就去郊外的亲戚家里住。
    A. 平时   B. 平常   C. 时候   D. 时常

19. 一般来说，会学习的人_____也会休息。

    A. 常常　　　　　B. 经常　　　　　C. 往常　　　　　D. 往往

20. 我没有_____要求，只要求饭菜做得干净。

    A. 其中　　　　　B. 其他　　　　　C. 其次　　　　　D. 尤其

21. 他很长时间没有跟他的同屋说话了，他们两个人_____有矛盾。

    A. 似乎　　　　　B. 仿佛　　　　　C. 似的　　　　　D. 一样

22. 他在门口等你呢，你_____去吧！

    A. 急忙　　　　　B. 着急　　　　　C. 繁忙　　　　　D. 赶紧

23. 我走出火车站以后，来接我的几个朋友马上跑过来_____着帮我拿行李。

    A. 举　　　　　　B. 扔　　　　　　C. 逛　　　　　　D. 抢

三 选词填空（15分，每题1分）
Choose the words to fill in the blanks (1 mark for each question with a total of 15 marks)

1. 老师说完以后，我没听_____，老师就又给我讲了一遍。

    A. 好　　　　　　B. 完　　　　　　C. 懂　　　　　　D. 住

2. 这个问题我也不太明白，我们一起问一_____老师吧。

    A. 次　　　　　　B. 下　　　　　　C. 遍　　　　　　D. 趟

3. 我去他家的时候，他正忙_____复习课文，准备考试呢。

    A. 着　　　　　　B. 了　　　　　　C. 过　　　　　　D. 呢

4. 下学期我就要搬_____留学生宿舍楼去住了。

    A. 在　　　　　　B. 到　　　　　　C. 去　　　　　　D. 上

5. 你家住_____哪儿？我送你回家。

    A. 到　　　　　　B. 来　　　　　　C. 在　　　　　　D. 上

6. 你打算在他家住_____什么时候？

    A. 起　　　　　　B. 在　　　　　　C. 好　　　　　　D. 到

7. 对不起，这本书是小李的，我正打算给他还_____呢。

    A. 回来　　　　　B. 回到　　　　　C. 起来　　　　　D. 回去

8. 我很喜欢这部新电影，一共看了五_____。

    A. 次   B. 遍   C. 下   D. 趟

9. 我来中国以前没有讲_____价，所以没有经验可以告诉你。

    A. 着   B. 了   C. 过   D. 呢

10. 我见过他几次，可是都没有记_____他的名字。

    A. 住   B. 好   C. 到   D. 得

11. 我买了一些点心，回国的时候带_____给妈妈尝尝。

    A. 上去   B. 回来   C. 过来   D. 回去

12. 快过_____，那边车多，很危险。

    A. 去   B. 来   C. 回   D. 起

13. 饭做_____了，快过来吃吧。

    A. 到   B. 错   C. 好   D. 成

14. 明天我下_____课就去教室找你。

    A. 着   B. 了   C. 过   D. 呢

15. 他向我道了三_____歉，请我一定要原谅他。

    A. 次   B. 下   C. 遍   D. 趟

四 将括号里的词语放在句中合适的位置上（6分，每题1分）

Put the words in the parentheses in the right positions in the sentences (1 mark for each question with a total of 6 marks)

1. 昨天我去找A了B三C次D，他都不在。（他）

2. 去年我回A了B一C国D。（趟）

3. 对不起，我A认B人C了D。（错）

4. 他A做生意B来到C中国D。（为了）

5. 去年我跟A朋友一起骑B自行车去C那儿听D一次音乐会。（过）

6. 他从书包里A拿B出C来D问："你看过吗？"（一本书）

五 用括号里的词语完成句子（12分，每题2分）

Complete the sentences with the words or patterns in the parentheses (2 marks for each question with a total of 12 marks)

1. 五年前我在图书馆认识了小李，_____。（从此）

2._____，英语很容易。（对……来说）

3.老师_____。（越A越B）

4.我们每天的读写课都一样，_____
_____。（首先……，然后……，最后……）

5.他说我们以前是好朋友，可是我们_____
_____。（根本）

6.现在顾客对饭馆的要求很多，_____
_____。（除了……以外）

 六 **阅读理解**（12分） Reading comprehension（12 marks）

有一天，李先生收拾好东西，准备去参加公司的一个重要活动。在他就要出门的时候，四岁的儿子突然大声地哭叫起来："爸爸，不要出去！爸爸，不要出去！"李先生赶紧抱起儿子来问："为什么不要爸爸出去？是不是要爸爸和你玩儿？"儿子说："是的。"李先生马上说："好！爸爸不出去了。爸爸知道和你在一起的时间太少了，爸爸陪你玩儿。"然后他换了衣服，坐在地板上和孩子玩儿了起来。

事后他告诉妻子："孩子这样哭，就说明他真的很需要我了。不参加公司的活动当然不好，但是孩子比公司的事更重要。"李先生要求妻子至少六年不出去工作，是希望对六岁以下的小孩，父母有陪他玩儿的时间，让他感觉到父母的爱。很多教育家都认为，这段时间是人一生中最重要的时间，并认为对0~6岁的孩子来说，最重要的不是学外语、学音乐、学画画儿，而是打好人生的基础。这个基础就是建立孩子的自信心、安全感、价值观和人生观。当一个人遇到困难时，他最需要的东西不是金钱和地位，

出门	chū mén	
V//O	to go out	
抱	bào V	to hold in the arms
地板	dìbǎn N	
floor		
一生	yìshēng N	
all one's life		
基础	jīchǔ N	
basis, foundation		
建立	jiànlì V	
to establish		
自信心	zìxìnxīn N	
self-confidence		
价值观	jiàzhíguān	
N values		
人生观	rénshēngguān	
N outlook on life		
遇到	yùdào V	
to meet, to encounter		
地位	dìwèi N	
status		

> 而是自信心、安全感和坚定的人生观，拥有这些才是人生最大的幸福。

坚定　jiāndìng　Adj
firm

（一）判断正误（6分，每题1分）

Decide if the following statements are true or false (1 mark for each question with a total of 6 marks)

1. 儿子大声哭是为了让爸爸给他买新玩具。　　　　　　（　　）

2. 李先生本来是打算参加公司的活动的。　　　　　　　（　　）

3. 李先生不去参加公司的活动是因为公司的活动不重要。（　　）

4. 李先生要求妻子不出去工作是为了让妻子有时间和儿子在一起。

　　　　　　　　　　　　　　　　　　　　　　　　　（　　）

5. 在孩子0~6岁这段时间，学外语、学音乐、学画画儿不是最重要的。

　　　　　　　　　　　　　　　　　　　　　　　　　（　　）

6. 一个人只要有了金钱和地位，就会很幸福。　　　　　（　　）

（二）回答问题（6分，每题2分）

Answer the questions (2 marks for each question with a total of 6 marks)

1. 父母为什么要给孩子很多时间，陪孩子玩儿？

_____

2. 0~6岁这段时间为什么被认为是一生中最重要的时间？

_____

3. 当一个人遇到困难时，最需要的是什么？

_____

七　作文（20分）　Write an essay（20 marks）

要求：给你的家人或朋友写一封信，说说你在中国的生活情况。

Directions: Write a letter to one of your family members or friends and tell him / her about your life in China.

（16×20=320字）

fàng jià le wǒ men lǚ xíng qù
放假了，我们旅行去
Let's go on a trip during the holidays

一　**根据课文内容填空**　Fill in the blanks based on the text

1. 去年的国庆节，学校放了七天假，很多同学都_____这个假期出去旅行了。我刚来中国，对一切都不太_____，就_____在北京，有点儿_____。

2. 听说在中国，_____出去旅行的人很多，_____是十一。我提前两个多星期就_____好了来回的机票。学校一放假，我就收拾好行李_____机场了。

3. 云南的_____很好，自然环境_____得也很好，风景十分_____。在云南还_____着很多少数民族，他们_____的文化风俗和_____吸引了_____的中外游客。

4. _____离开北京的时候飞机晚点了，_____我玩儿得很_____，_____也很大，度过了一个_____的假期。不过_____的是，因为时间很_____，没_____去西双版纳。

二　**根据课文内容选择正确答案**　Choose the right answers based on the text

1. 同学们常常利用什么时间出去旅行？

　　A. 春节　　　　B. 国庆节　　　　C. 周末　　　　D. 春节和国庆节

2. 去年国庆节"我"为什么待在北京？

　　A. 因为学校没有放假　　　　B. 因为我对外地还不熟悉

　　C. 因为我没有预订机票　　　　D. 因为我的飞机晚点了

3. "我"大概是什么时间预订好机票的？

　　A. 9月1日　　B. 9月10日　　C. 9月15日　　D. 9月30日

4. 关于很多人去云南旅行的原因，下面哪一项是不对的？

    A. 云南的风景很优美

    B. 云南的气候很好

    C. 云南的少数民族有独特的文化风俗和生活习惯

    D. 云南的出租车司机很热情

5. 在云南，"我"没有去什么地方？

    A. 西双版纳   B. 昆明   C. 大理   D. 丽江

三 在括号里填上合适的名词 Fill in the blanks with the right nouns

预订（　　　　　）　　收拾（　　　　　）　　推迟（　　　　　）

度过（　　　　　）　　保护（　　　　　）　　当 （　　　　　）

四 选词填空 Choose the words to fill in the blanks

放假	开心	自然	遗憾	保护
利用	提前	收获	推迟	机会

1. 我常常（　　　　　）假期工作挣钱。

2. 这个假期你有什么（　　　　　）？

3. 这里的（　　　　　）风景真是太美了！

4. 这个周末我过得很（　　　　　）。

5. 因为天气不好，飞机得（　　　　　）起飞。

6. 你们什么时候（　　　　　）？我们一起去旅行吧。

7. 风景这么美，可是我没带照相机，真是太（　　　　　）了！

8. 你来我家以前请（　　　　　）给我打个电话。

9. 这次（　　　　　）很难得，你一定不要错过。

10. 别担心，有警察（　　　　　）你的安全。

五 用"是……的"句式和括号里的词语回答问题

Answer the questions with the sentence pattern "是……的" and the words or phrases in the parentheses

1. A：你是从哪儿来的？

    B：我_____。（日本）

2. A：你是什么时候来的？

    B：我_____。（去年春天）

3. A：你是来做什么的？

　　B：我＿＿＿＿＿＿＿＿＿＿＿＿＿＿＿＿＿＿＿＿＿＿＿。（学习汉语）

4. A：是谁给你买的书？

　　B：＿＿＿＿＿＿＿＿＿＿＿＿＿＿＿＿＿＿＿＿＿＿＿。（朋友的妹妹）

5. A：是谁让你买的工艺品？

　　B：＿＿＿＿＿＿＿＿＿＿＿＿＿＿＿＿＿＿＿＿＿＿＿。（我同屋）

6. A：田中是怎么去的医院？

　　B：田中＿＿＿＿＿＿＿＿＿＿＿＿＿＿＿＿＿＿＿＿＿。（坐出租车）

7. A：是谁让你来找我的？

　　B：＿＿＿＿＿＿＿＿＿＿＿＿＿＿＿＿＿＿＿＿＿＿＿。（那个服务员）

六　组词成句　**Rearrange the words to make sentences**

　　例：马克　　是……的　　酒吧　　约我　　喝酒　　去

　　　　→是马克约我去酒吧喝酒的。

1. 图书馆　　是……的　　见到　　他　　我　　在

　　→＿＿＿＿＿＿＿＿＿＿＿＿＿＿＿＿＿＿＿＿＿＿＿＿＿＿

2. 认识　　是……的　　火车　　我们　　在　　上

　　→＿＿＿＿＿＿＿＿＿＿＿＿＿＿＿＿＿＿＿＿＿＿＿＿＿＿

3. 是……的　　我们　　老师　　我　　告诉

　　→＿＿＿＿＿＿＿＿＿＿＿＿＿＿＿＿＿＿＿＿＿＿＿＿＿＿

4. 昨天　　是……的　　买　　我　　手册　　这　　本　　旅游

　　→＿＿＿＿＿＿＿＿＿＿＿＿＿＿＿＿＿＿＿＿＿＿＿＿＿＿

5. 打　　通知　　李明　　我们　　电话　　是……的

　　→＿＿＿＿＿＿＿＿＿＿＿＿＿＿＿＿＿＿＿＿＿＿＿＿＿＿

七　用括号里的词语完成句子

　　Complete the sentences with the words or patterns in the parentheses

　　1. 节假日的飞机票太难买了，＿＿＿＿＿＿＿＿＿＿＿＿＿＿＿。（好不容易）

　　2. 附近可以出租的房子不多，＿＿＿＿＿＿＿＿＿＿＿＿＿。（好不容易）

　　3. ＿＿＿＿＿＿＿＿＿＿＿＿＿＿＿＿＿＿＿，我知道的不太多。（关于）

4. A：你喜欢看什么电视节目？

　　B：我是个足球迷，＿＿＿＿＿＿＿＿＿＿＿＿＿＿＿＿。（关于）

5. 我喜欢旅行，＿＿＿＿＿＿＿＿＿＿＿＿＿＿＿＿。（尤其）

6. 北京很干燥，＿＿＿＿＿＿＿＿＿＿＿＿＿＿＿＿。（尤其）

7. 这次旅行我去了两个地方，＿＿＿＿＿＿＿＿＿＿＿。（后来）

8. 我们两个人开始并不认识，＿＿＿＿＿＿＿＿＿＿＿。（后来）

9. 他最喜欢那里的名胜古迹，＿＿＿＿＿＿＿＿＿＿＿＿。

（尽管……可是……）

10. 李明让小丽太伤心了，＿＿＿＿＿＿＿＿＿＿＿＿＿。

（尽管……可是……）

八　**阅读理解**　Reading comprehension

在火车上

昨天，我意外地接到了一个好朋友的电话，电话是从上海打来的。她前天刚到的中国，先到的广州，现在在上海。她是来上海参加一个国际会议的，只在上海住三天，然后就要回国了。

她是我最好的朋友，我决定这个周末去上海看她。今天上完最后一节课，我就急急忙忙地跑到了火车站。因为没有买到飞机票，我只好坐火车去了。在火车站我买到了一张卧铺票，是中铺。

火车晚上8点从北京出发，第二天早上到达上海。也就是说，等我睡一觉起床后就已经到达上海了，跟坐飞机也差不多。

我上火车的时候，车上已经有很多人了，我找到我的铺位就爬了上去。火车上的卧铺有两种，一种叫硬卧，有三层，没有门；一种叫

| 意外 | yìwài | Adj |
| unexpected | | |

| 卧铺 | wòpù | N |
| sleeping berth | | |

| 铺位 | pùwèi | N |
| berth | | |

| 硬卧 | yìngwò | N |
| hard berth | | |

软卧，有两层，每四个卧铺有一个门。我买的是硬卧票，在中铺。周围都是中国人，他们都向我点头微笑，我们很快就聊起天儿来。他们问我是哪国人，是来学习的还是来工作的，等等。我发现他们说的话我大部分都能听懂，这让我很高兴。

聊了一会儿，我觉得身体越来越不舒服，连忙从中铺下来，到下铺坐着。下铺的人问我怎么了，我说有点儿恶心，她说我可能晕车了。对面的一个老大娘给了我一片晕车药，又陪我到车厢连接处站了一会儿，我觉得好多了。他们都让我快上去睡觉，说睡着以后就好了。

果然，我睡着以后就不觉得难受了。等我醒来的时候，火车已经到上海了。我感谢火车上的人给我的帮助。跟他们告了别，我就高高兴兴地下了火车，朋友正在外边等着我呢！

软卧	ruǎnwò	N
soft berth		
点头	diǎn tóu	
V//O to nod		
微笑	wēixiào	V
to smile		
恶心	ěxin	Adj
nauseous		
晕车	yùn chē	
V//O to be sick when taking a train, bus, car, etc.		
老大娘	lǎodàniáng	
N *term of respect for an old woman*		
车厢	chēxiāng	N
railway carriage		
连接	liánjiē	V
to link, to connect		
果然	guǒrán	Adv
as expected		
告别	gào bié	V//O
to say goodbye		

回答问题 **Answer the questions**

1. 她以前知道她的好朋友要来中国吗？ _____

2. 她为什么着急去上海见她的朋友？ _____

3. 她为什么不坐飞机？ _____

4. 在火车上让她高兴的是什么？让她难受的是什么？

_____

5. 是谁帮助她的？ _____

九 **作文** **Write an essay**

《一次难忘的旅行》

要求：从小到大，你一定去很多地方旅行过吧？在所有的旅行中，哪一次旅行给你的印象最深刻？请写一写这次旅行的经过和给你留下的深刻印象。400 字以上。

Directions: You must have travelled many places since childhood. Among all your trips, which one impressed you the most? Please write about the trip and your impression of it in more than 400 characters.

（16×25=400字）

shān tián xǐ huan shén me yùn dòng

山田喜欢什么运动

What sports does Yamada like

一 根据课文内容填空　Fill in the blanks based on the text

1. 虽然我和山田很谈得来，不过，我们俩最大的_____就是：我对各种运动都很_____，他_____不运动。

2. 山田_____来到中国以后，体重不断_____，不但_____难看了，而且_____也越来越笨了。为了减肥，他又_____，又吃药，可是都_____作用，体重一点儿都没_____。

3. 我建议他每天_____锻炼一个小时，_____减肥能成功。我向他_____了几个比较容易的运动，可是想不到这些运动他都_____。

4. 武术不但对减肥很_____，而且也很有用。现在山田又对自己_____了信心。

二 根据课文内容选择正确答案　Choose the right answers based on the text

1. 山田来中国以后有什么变化？
   A. 体重增加了　　B. 体形难看了　　C. 动作笨了　　D. 以上都是

2. 下面哪一个不是山田发胖的原因？
   A. 吃得太多　　　B. 睡觉太多　　　C. 吃得太好　　D. 运动太少

3. "我"建议山田每天锻炼多长时间？
   A. 三十分钟　　　B. 一个小时　　　C. 一个多小时　　D. 五十分钟

4. "我"没给山田推荐哪项运动？
   A. 游泳　　　　　B. 爬山　　　　　C. 打网球　　　D. 散步

5. 山田为什么不愿意跑步？
   A. 因为太危险　　　　　　　B. 因为有空气污染
   C. 因为天气太冷　　　　　　D. 因为太麻烦

6. 练习武术给山田带来了什么好处？

   A. 减肥   B. 保护自己   C. 恢复信心   D. 以上都是

三 写出你知道的跟运动有关的词语 Write the words or phrases related to sports

_____   _____   _____   _____

四 选词填空 Choose the words to fill in the blanks

毫无	赶快	厉害	恐怕	从来
推荐	至少	接受	不断	有效

1. 他发烧了，难受得（　　　　）
2. 他（　　　　）不锻炼。
3. 我给你（　　　　）一个好学生。
4. 我对讲价（　　　　）经验。
5. 田中生病了，（　　　　）不能来上课了。
6. 他不（　　　　）我的道歉。
7. 快上课了，（　　　　）走吧。
8. 这个工艺品很贵，（　　　　）一万元。
9. 我在看书，可是他（　　　　）地来打扰我。
10. 他介绍的减肥办法很（　　　　），我建议你也试试看。

五 将下列带可能补语的短语改成疑问句，再分别用肯定和否定形式回答
Change the following phrases with complements of possibility into interrogative sentences and then make affirmative and negative answers

例：看得见→ 我写的字你看得见看不见？

    你写的字很大，我看得见。

    你写的字很小，我看不见。

1. 走得到→_____

_____

_____

2. 出得去→_____

_____

_____

3. 做得完→_____

_____

4. 修得好→_____

_____

5. 进得来→_____

_____

6. 谈得来→_____

_____

7. 想得到→_____

_____

8. 买得起→_____

_____

9. 用得了→_____

_____

六 **用合适的可能补语填空** **Fill in the blanks with the right complements of possibility**

1. 你一个人喝吧，我刚喝了一瓶啤酒，喝（　　　　）了。

2. 老师写在黑板上的字，你看（　　　　）吗？请给我读一读。

3. 他的电话总是占线，打（　　　　）。

4. 明天我有事，去（　　　　）长城了，你和别人去吧。

5. 你的东西太多了，你一个人拿（　　　　）吗？我帮你拿几件吧！

6. 现在商店还没有关门，你要的东西应该买（　　　　）。

7. 这本书是很多年以前出版的，不知道现在是不是还买（　　　　）。

8. 他胖得出（　　　　）门了。

9. 这个工作很轻松，用（　　　　）五个人。

10. 银行已经关门了，取（　　　　）钱了。

七 用括号里的词语完成对话
Complete the dialogues with the words or patterns in the parentheses

1. A：你是从什么时候开始坚持锻炼身体的？

　　B：＿＿＿＿＿＿＿＿＿＿＿＿＿＿＿＿＿＿＿＿＿。（自从）

2. A：李明以前很喜欢睡懒觉，现在怎么星期天也不睡懒觉了？

　　B：＿＿＿＿＿＿＿＿＿＿＿＿＿＿＿＿＿＿＿＿＿。（自从）

3. A：小王以前得过这种病吗？

　　B：没有，＿＿＿＿＿＿＿＿＿＿＿＿＿＿＿＿＿。（从来）

4. A：跟旅行团一起旅行是不是很方便啊？

　　B：＿＿＿＿＿＿＿＿＿＿＿＿＿＿＿＿＿＿＿＿＿。（从来）

5. A：昨天晚上睡得怎么样？

　　B：我同屋一直在听音乐，＿＿＿＿＿＿＿＿＿＿＿＿＿＿。
　　　　　　　　　　　　　　　　（一点儿……都……）

6. A：你最近好像挺忙的。

　　B：是啊，＿＿＿＿＿＿＿＿＿＿＿＿＿＿＿＿＿＿＿＿。
　　　　　　　　　　　　　　　　（一点儿……都……）

7. A：田中明天能去打球吗？

　　B：他病了，＿＿＿＿＿＿＿＿＿＿＿＿＿＿＿＿＿。（恐怕）

8. A：这件中号的衣服你穿怎么样？

　　B：我最近长胖了不少，＿＿＿＿＿＿＿＿＿＿＿＿＿。（恐怕）

八 阅读理解　Reading comprehension

从请人吃饭到请人流汗

在中国，全家团圆、朋友聚会、公务应酬都少不了请客吃饭。可是最近这个传统习惯也在悄悄地发生着变化。

李小姐在一家律师事务所工作，平时很注意身体健康，保持体形。她最烦的就是大小宴会。因为一有人请吃饭就得喝酒，不但浪费时间，而且对身体也没有好处。所以她一听有人要请她吃饭就赶快躲，实在躲不开，就只好吃了饭再吃减肥药。可是最近有一种请客她很愿意去，因为别人不是请她去饭馆吃饭，而是请她去健身房锻炼。

李小姐说："我很喜欢锻炼身体，现在跟朋友聚会的时候，我们都不去饭馆了，常常去游泳池或者网球场。运动以后大家在一起喝喝茶，聊聊天儿，感觉身体轻松了，心情也愉快了。看到大家都很高兴，最后请客买单的人也很高兴。"

另一位王先生也说："我是做生意的，常常要请人吃饭。因为以前总觉得在别处谈不成的生意，在饭桌上能谈得成。可是我妻子非常反对我出去陪客人吃饭，因为每次我吃完饭回家的时候常常都醉得快找不到家门了。我自己也不愿意这样，可是我也是有苦说不出啊！现在好了，我发现越来越多的客人喜欢去运动场了。大家在运动的时候，精神都很放松，人也很真诚，更容易谈成生意。我现在常常陪客人

汗　hàn　N　sweat

团圆　tuányuán　V　to be reunited with (one's family)

聚会　jùhuì　V to get together

公务　gōngwù　N official business

应酬　yìngchou　V to engage in social activities

悄悄　qiāoqiāo　Adv quietly

律师事务所　lùshī shìwùsuǒ law firm

健康　jiànkāng　Adj healthy

保持　bǎochí　V to keep, to maintain

烦　fán　Adj　bored

宴会　yànhuì　N　banquet

躲　duǒ　V　to avoid, to dodge

健身房　jiànshēnfáng　N gym

买单　mǎi dān　V//O to pay the bill

反对　fǎnduì　V to be against

苦　kǔ　Adj　painful, bitter

真诚　zhēnchéng　Adj sincere

去健身房，我自己的肚子也练下去了，妻子说我年轻了好几岁呢！"

请人吃饭不如请人流汗，这个社会现象的变化反映了一种积极的人生态度。

肚子	dùzi	N	belly
反映	fǎnyìng	V	to reflect
积极	jījí	Adj	
positive, active			
态度	tàidu	N	attitude

回答问题 **Answer the questions**

1. 李小姐的工作是什么？王先生的工作是什么？

_____

2. 李小姐为什么不愿意参加宴会？

_____

3. 以前李小姐的朋友们常常在哪儿聚会？现在呢？为什么会发生这样的变化？

_____

4. 王先生以前常请人吃饭吗？为什么？他自己喜欢这样吗？

_____

5. 王先生的太太以前喜欢王先生去陪客人吗？现在呢？为什么？

_____

九 作文 Write an essay

《我喜欢的一种运动》

要求：你喜欢运动吗？你喜欢哪种运动？请简单介绍一下这种运动的历史、方法和好处。400 字以上。

Directions: Do you like sports? Which sport do you like? Please give a brief introduction of the history, methods and advantages of this sport in more than 400 characters.

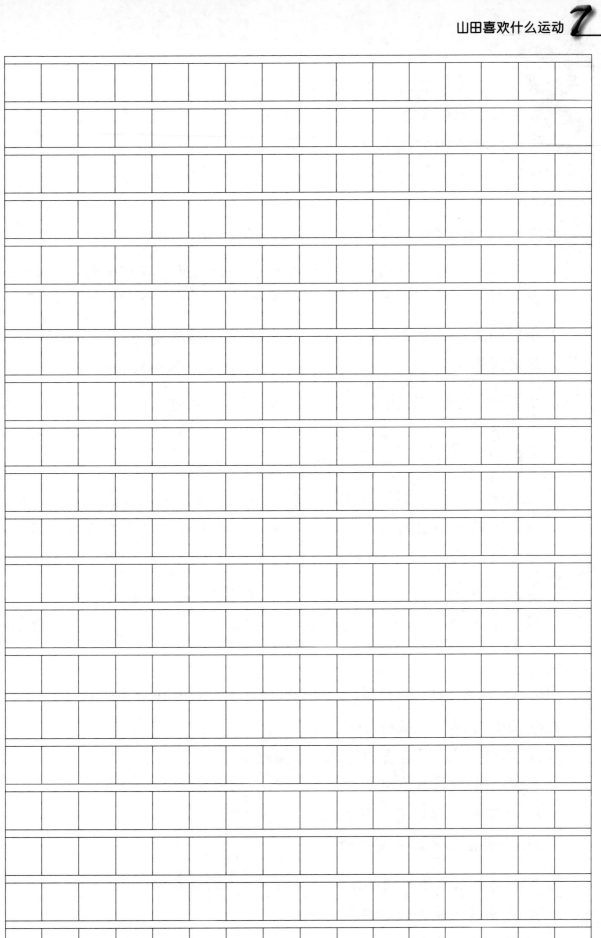

（16×25=400字）

zuò kè
做 客
Being a guest

 一 根据课文内容填空 **Fill in the blanks based on the text**

1. 小丽的父母住在胡同_____的一个四合院里，非常安静。四合院不太大，院子里的空地上_____一些花儿，_____就像一个小花园。

2. 小丽的父母走出房间来_____我。他们一边跟我_____一边_____我的汉语_____，_____就跟中国人说的一样。

3. 小丽的父母已经快七十岁了，可是一点儿也_____，_____只有五十多岁。他们非常热情，已经_____为我_____了一壶茶，我们边喝茶边聊起天儿来。

4. 我听说_____中国的传统，老人和孩子住在一起才是_____的大家庭。可是，小丽的父母_____说，老年人和年轻人在日常生活上很多地方都不能_____。所以，他们不跟女儿、_____住在一起。

5. 看到小丽的父母，我_____了自己的父母，小丽的父母_____了很多老人的心里话。我感谢他们的热情_____，_____祝他们晚年_____。

 二 根据课文内容选择正确答案 **Choose the right answers based on the text**

1. 下面哪句话是不正确的？
   A. 以前"我"没有去中国人家里做过客
   B. 小丽的父母住在胡同深处的一个小花园里
   C. 小丽的父母很喜欢种花儿
   D. 小城镇都是非常安静的

2. 下面哪句话不能说明小丽的父母对"我"很热情？
   A. 走出房间来迎接"我"
   B. 跟"我"握手并称赞"我"的汉语

　　　C. 专门为"我"泡好了一壶茶

　　　D. 在房间里摆上中式家具

3. 小丽的父母为什么不跟女儿住在一起？

　　　A. 老年人跟年轻人的生活习惯不一样

　　　B. 老年人跟年轻人的兴趣爱好不一样

　　　C. 住在楼房里太孤单

　　　D. 以上都是

4. 小丽的父母多大年纪了？

　　　A. 六十多岁　　　B. 五十多岁　　　C. 不到七十岁　　　D. 七十多岁

5. 本文中"老年人的心里话"是指什么？

　　　A. 老人也要有自己的生活空间　　　B. 老人应该住在四合院里

　　　C. 老人用不着孩子照顾　　　D. 老人的房间里应该摆中式家具

三 在括号里填上合适的动词　Fill in the blanks with the right verbs

（　　　　）客　　　　（　　　　）茶　　　　（　　　　）网

（　　　　）花儿　　　　（　　　　）家具　　　　（　　　　）懒觉

四 选词填空　Choose the words to fill in the blanks

| 了解　　邀请　　称赞　　专门　　解释　　适应　　迎接　　曾经 |

1. 山田病了，昨天田中买了一些水果（　　　　　）去看他。

2. 我在云南的朋友热情地（　　　　　）我去云南旅行。

3. 老师（　　　　　）他是个热心助人的好学生。

4. 我对中国的传统文化不（　　　　　）。

5. 外国朋友来我们学校参观的时候，我们都去大门口（　　　　　）他们。

6. 你到中国半年了，已经（　　　　　）这里的生活了吧？

7. 你昨天为什么没去上课？你应该向老师（　　　　　）清楚。

8. 他（　　　　　）结过两次婚，但是时间都不长。

五 用合适的趋向补语填空　Fill in the blanks with the right directional complements

　1. 你今天看（　　　　　　　）很累。

　2. 已经下了三天雨了，再下（　　　　　　　　），所有的蔬菜就都种不了了。

3. 不要停，唱（　　　　　　　），你唱得很好听。

4. 这个菜是用西红柿做的，太酸了，我吃（　　　　　　）了。

5. 这个菜看（　　　　　　　）很漂亮，可是吃（　　　　　　）不太好吃。

6. 快去看看吧，他们两个人打（　　　　　　）了。

7. 你已经学了两年的汉语了，还打算学（　　　　　　）吗？

8. 对不起，你叫什么名字？我想不（　　　　　　）了。

9. 解决交通问题的办法你想（　　　　　　）了吗？

10. 春天到了，天气开始慢慢暖和（　　　　　　）了。

六　解释下列带趋向补语的短语并造句
Explain the following phrases with directional complements and make sentences

1. 说起来

_____

2. 说下去

_____

3. 找出来

_____

4. 找起来

_____

5. 看出来

_____

6. 看起来

_____

7. 想起来

_____

8. 想出来

_____

七　用括号里的词语完成句子
Complete the sentences with the words or patterns in the parentheses

1. 现在刚刚开学，你_____？（干吗）

2. 我在复习课文呢，你_____？（干吗）

3. _____，我们的作文得写400字。（按照）

4. _____，红灯亮起来的时候应该停车。（按照）

5. 学好汉语并不难，_____
_____。（一方面……，另一方面……）

6. 老人跟孩子在一起住也有好处，_____
_____。（一方面……，另一方面……）

7. 我对这条胡同很熟悉，因为_____。（曾经）

8. _____，但是现在他们已经分手了。（曾经）

9. 我们是好朋友，_____。（互相）

10. 我跟同屋的生活习惯完全相反，我们_____。
（互相）

11. 我想买一件蓝色的大衣，_____。
（正好）

12. 上了公共汽车我才发现没有带钱，_____。
（正好）

13. 朋友说中午想吃西餐，_____。（正好）

14. A：你去年暑假做什么了？
B：_____。（并）

15. A：听说昨天山田结婚了，你去参加婚礼了吗？
B：_____。（并）

八 阅读理解 Reading comprehension

自己吃菜自己种

一到周末，一些北京人就自己开车或者乘车到郊区的农村兴奋地摘水果、收蔬菜。现在生活紧张的城里人要是想当一当种菜的农民，已经是很容易的事了。只要你认买一分地（大概66平方米），一年中有八个月都可以去农村种菜、收菜。

农村	nóngcūn	N	countryside
兴奋	xīngfèn	Adj	excited
摘	zhāi	V	to pick, to pluck
农民	nóngmín	N	farmer
认	rèn	V	to undertake to do sth.
分	fēn	M	a unit of area (= 66.666 square meters)

已经成为"业余菜农"的刘先生说："我每年交 365 元认买菜地，花 50 元买种子。周末常常带着爱人、孩子来农村一起种、一起收，一年都不用到市场去买菜。真是有劳动就有收获啊！"

如果你没有空儿照顾你的蔬菜和果树也没关系，只要每天花一元钱，就有人专门替你照顾。但是他们只是每天给菜浇浇水，你还得常来看看，给菜锄锄草、搭搭架子。这样你可以了解蔬菜、果树的生长情况，也可以知道有没有污染，吃起来就会更放心。很多家庭认买菜地也是为了让孩子认识各种各样的植物，现在城里的孩子连黄瓜、西红柿这样常吃的蔬菜是怎样生长的都不知道。

张大爷以前经常去爬山锻炼身体，现在他也来农村认买了一块自己的地种菜。他觉得这样既锻炼了身体，又增加了经济上的收入，而且种菜的时候常常让他想起自己年轻时在农村的生活，有很多的乐趣。

业余	yèyú	Adj	amateur
种子	zhǒngzi	N	seed
劳动	láodòng	N	work, labor
果树	guǒshù	N	fruit tree
浇	jiāo	V	to water, to irrigate
锄	chú	V	to work with a hoe
搭	dā	V	to set up, to put up
架子	jiàzi	N	stand, shelf
生长	shēngzhǎng	V	to grow
放心	fàng xīn	V//O	to set one's mind at rest
乐趣	lèqù	N	pleasure

判断正误 Decide if the following statements are true or false

1. 北京人一到周末就去农村摘农民的水果蔬菜。 （　　）
2. 如果你认买了一块地，每天都可以去种菜、收菜。 （　　）
3. 很多人是为了孩子认买的菜地。 （　　）
4. 如果你没有时间，可以花钱请人帮助你照顾蔬菜。 （　　）
5. 张大爷种菜有两个目的。 （　　）

九 **作文** Write an essay

《我理想的生活方式》

提示：每个人都有自己的生活方式，你喜欢现在的生活方式吗？你理想的生活方式是什么样的？你为什么想过那样的生活？ 400 字以上。

Cues: Everyone has his own lifestyle. Do you like your current lifestyle? What is your ideal lifestyle? Why? Use more than 400 characters.

（16×25=400字）

huí jiā guò nián

回家过年

Going home to celebrate Chinese New Year

一 根据课文内容填空 Fill in the blanks based on the text

1. 李明和小丽_____以后，一起在春节时回李明的老家看他的父母，因为春节是中国人最_____的一个传统节日，也是全家_____的日子。

2. 妹妹告诉李明和小丽，家里的旧房子_____了，新房子_____了，过年用的东西都_____了，连春联都_____好了。

3. 李大爷和李大妈对现在的生活_____满意，因为现在农村的生活_____多了，儿子和女儿也都很_____，老两口高兴得嘴都_____了。

4. _____平时限制放鞭炮，春节的鞭炮声就_____特别_____，特别热闹。小丽也_____放了几个，感觉仿佛又回到了小时候。

5. 城里的春节没有那么_____，城里的空气没有那么_____，城里的人也没有那么_____。

二 根据课文内容选择正确答案 Choose the right answers based on the text

1. 李明今天为什么特别高兴？
   A. 因为他和小丽要一起过春节了　　B. 因为他和小丽结婚了
   C. 因为他的单位要放假了　　　　　D. 因为小丽能适应农村的生活了

2. 下面哪一项不是李明家里为过年作的准备？
   A. 拆旧房子　　　　　　　　　　　B. 盖新房子
   C. 贴春联　　　　　　　　　　　　D. 看春节联欢晚会

3. 除夕晚上，李明一家做了什么？
   A. 吃年夜饭、聊天儿、拜年
   B. 聊天儿、看春节联欢晚会、贴春联
   C. 吃年夜饭、看春节联欢晚会、放鞭炮
   D. 放鞭炮、吃年夜饭、拜年

4. 初一到初三，李明和小丽做了什么？

　　A. 拜年　　　　　　　　　　　B. 放鞭炮

　　C. 跟家里人告别　　　　　　　D. 冻坏手指

5. 下面哪一项不是小丽喜欢农村和李明家里人的原因？

　　A. 农村的春节更热闹　　　　　B. 农村的空气更新鲜

　　C. 农村的亲戚朋友更多　　　　D. 农村的人更热情

三 在下列宾语前加上合适的谓语动词　Fill in the blanks with the right verbs as the predicates

（　　　　）旧房子　　　　（　　　　）新房子　　　　（　　　　）春联

（　　　　）鞭炮　　　　　（　　　　）年　　　　　　（　　　　）钟

四 选词填空　Choose the words to fill in the blanks

| 团圆 | 重视 | 动身 | 采购 | 激动 |
| 改善 | 显得 | 告别 | 错过 | 适应 |

1. 快到春节了，得去商店（　　　　）点儿过年用的东西了。

2. 这么好的节目可不能（　　　　）。

3. 你们国家最（　　　　）哪个节日？

4. 他从小在农村长大，很不（　　　　）城市的生活。

5.（　　　　）了父母，第二天他就（　　　　）回北京了。

6. 她太（　　　　）了，连话都说不出来了。

7. 现在农村的生活条件已经（　　　　）了许多了。

8. 他边说边哭，（　　　　）很激动。

9. 春节是中国人全家（　　　　）的日子。

五 仿照例句，用"A（没）有B+ 这么/那么……"做替换练习并回答
Use "A（没）有 B + 这么/那么 ……" to do substitution exercises and answer the questions following the example

例：城里的春节　　　农村的春节　　　这么　　　热闹

　　→城里的春节有农村的春节这么热闹吗？

　　　城里的春节有农村的春节这么热闹。

　　　城里的春节没有农村的春节这么热闹。

1. 老张的子女　　　老王的子女　　　那么　　　孝顺

→ _____

_____

2. 城里的空气　　　农村的空气　　　这么　　　新鲜

→ _____

_____

3. 教师食堂的饭菜　学生食堂的饭菜　这么　　　丰富

→ _____

_____

4. 山田　　　　　　小李　　　　　　那么　　　胖

→ _____

_____

六 **仿照例句，用"连……都……"改写句子**
Use "连……都……" to rewrite the sentences following the example

例：他没有休息过一个周末。

　　→ 他连一个周末都没有休息过。

1. 他不乱花一分钱。

　　→ _____

2. 他没有一个朋友。

　　→ _____

3. 他不吃牛肉。

　　→ _____

4. 他不会说"你好"。

　　→ _____

七　用下列词语扩展成意义上的被动句
Use the following words to make unmarked passive sentences

例：准备　　　　饭菜

　　→ 过年的饭菜都准备好了。

1. 拆　　　　旧房子

　　→ _____

2. 盖　　　　新房子

　　→ _____

3. 贴　　　　春联

　　→ _____

4. 煮　　　　饺子

　　→ _____

5. 打　　　　电视机

　　→ _____

6. 冻　　　　耳朵

　　→ _____

八　用括号里的词语完成句子
Complete the sentences with the words or patterns in the parentheses

1. 他很有钱，_____。（连……都……）

2. 他没有钱，_____。（连……都……）

3. 他很聪明，_____。（连……都……）

4. 他很笨，_____。（连……都……）

5. A：明天考试，你复习好了吗？

　　B：_____。

　　　　　　　　　　　　　　（光顾着……，还没……）

6. A：你给客人倒茶了吗？

　　B：_____。

　　　　　　　　　　　　　　（光顾着……，忘了……）

7. 老师说得太快了，学生 _____。（不得不）

8. 路上我的车坏了，_____。（不得不）

9. 时间过得真快，_____。（不知不觉）

10. 田中读起书来就忘了时间，_____。
（不知不觉）

11. 她穿上这件新衣服显得_____。（可）

12. 这个秘密只有我们两个人知道，_____。（可）

13. 昨天堵车堵得很厉害，我_____。（差点儿 / 差点儿没）

14. 火车10：00开，我们9：45才到火车站，_____。
（差点儿 / 差点儿没）

15. 昨天我到商店的时候，商店马上就要关门了，我_____
_____。（差点儿 / 差点儿没）

16. 他从没学过游泳，不小心掉进了湖中，_____。
（差点儿 / 差点儿没）

17. 他走路的时候光顾着看书，忘了看路，_____。
（差点儿 / 差点儿没）

18. 她在上班的路上碰到了十年没见的老同学，_____。
（差点儿 / 差点儿没）

19. _____，飞机推迟了起飞时间。（由于）

20. _____，他差点没儿通过考试。（由于）

21. 虽然吃巧克力会发胖，可是我_____。（忍不住）

22. 虽然老师反复强调我们课下应该说汉语，可是他_____
_____。（忍不住）

九　阅读理解　Reading comprehension

（一）年和鞭炮的故事

传说在很久以前，中国人是不过年的。相反，人们非常害怕年。因为年是一种吃

| 传说 | chuánshuō | V |
| it is said that... | | |

人的怪物，每到农历的一月一日就跑出来吃人。为了打败年，人们想了很多办法，很伤脑筋。

有一次，年又跑出来吃人了。有一个人拿来竹子，用火点着，向年扔过去。干燥的竹子在燃烧的时候发出很大的响声：噼啪、噼啪。年一听到这可怕的声音就吓得逃走了。从此，只要年一来，人们就烧竹子。年似乎很害怕这种声音，从此以后就不知道逃到哪里去了，再也没有出现过。

人们高兴极了，大家做了很多好吃的饭菜，烧了很多的竹子来庆祝又过上了幸福平安的生活。从那以后，每到一月一日，人们都要烧竹子来庆祝，这就是过年的由来。火药发明以后，人们就不烧竹子了，改为放鞭炮，所以鞭炮还有一个名字叫"爆竹"。

怪物	guàiwù	N	monster
农历	nónglì	N	lunar calendar
伤脑筋	shāng nǎojīn		
to cause enough headaches			
竹子	zhúzi	N	bamboo
燃烧	ránshāo	V	to burn
噼啪	pīpā	Ono	pitter-patter
可怕	kěpà	Adj	terrible
吓	xià	V	to frighten
逃	táo	V	to escape
烧	shāo	V	to burn
害怕	hàipà	V	to be afraid of
庆祝	qìngzhù	V	to celebrate
平安	píng'ān	Adj	safe and sound
由来	yóulái	N	origin
火药	huǒyào	N	gunpowder
发明	fāmíng	V	to invent
爆竹	bàozhú	N	fireworks

判断正误 Decide if the following statements are true or false

1. 以前中国人不过年的原因是中国有一个叫年的怪物。　（　　）
2. 年害怕竹子。　（　　）
3. 现在的爆竹还是用竹子做的。　（　　）
4. 现在人们还害怕年，所以要放鞭炮。　（　　）

（二）害怕过年也是病

春节快到了，因为年底生活和工作压力的加大，来看心理医生的病人增加了很多，其中80％的病人表现为害

年底	niándǐ	N	the end of a year
压力	yālì	N	pressure
医生	yīshēng	N	doctor
病人	bìngrén	N	patient
表现	biǎoxiàn	V	to manifest

怕、讨厌过年。

这些人多数在生活、事业上已经有了一些成绩，但他们并不满足已经有的成绩，希望在短时间内达到自己计划的目标。如果现实与理想的差距太大，就很容易产生强烈的失败感。春节来了，他们感到时间都过去了，可是理想还很远，所以产生了莫名的紧张感。

还有一些在外地工作的年轻朋友受到人情的困扰，不知道应不应该回家。工作刚一年的王小姐说，家里人口很多，给小孩的压岁钱及送长辈的礼物算起来得准备三千元，但她自己工资并不多。如果不出这笔钱，回家没有面子；如果出这笔钱，自己又拿不出来。她真的很发愁。

还有一类人也是住在外地，每到年底，他们虽然都希望和家人团圆，但是一想到旅途的紧张与辛苦，心里就很害怕。

为什么会出现"年关心理恐慌症"这种情况呢？社会心理学家认为，随着人们对工作、生活的期望的提高，春节的含义发生了变化，慢慢变成了"年度总结"的日子，所以有的人出现了"年关心理恐慌症"的症状。

心理专家建议，人们到年底应保持一颗平常心，还春节本来的含义——让身体和心理都得到休息、增加亲戚朋友之间的感情。对工作、生活的一些成功和失败也不必太注意；对"人情"要有正确的认识，孝顺父母是应该的，但不要成为负担；家在外地的人，春节回家前要注意休息，不要太紧张。

讨厌	tǎoyàn	V	to dislike, to hate
事业	shìyè	N	career
计划	jìhuà	V	to plan
现实	xiànshí	N	reality
差距	chājù	N	disparity
强烈	qiángliè	Adj	strong
失败	shībài	V	to fail
莫名	mò míng		indescribable
人情	rénqíng	N	human feelings
困扰	kùnrǎo	V	to trouble, to haunt
人口	rénkǒu	N	population
压岁钱	yāsuìqián	N	money given to children as a lunar New Year gift
旅途	lǚtú	N	journey, trip
年关	niánguān	N	end of a year (i.e., the end of the lunar year, when accounts have to be settled)
恐慌症	kǒnghuāngzhèng	N	panic disorder
期望	qīwàng	V	to expect
含义	hányì	N	meaning
年度	niándù	N	year
总结	zǒngjié	V	to summarize
症状	zhèngzhuàng	N	symptom
负担	fùdān	N	burden

判断正误　**Decide if the following statements are true or false**

1. 有两种人害怕过年。 （ ）

2. 有的人害怕过年是因为他们失败了。 （ ）

3. 害怕过年的人都挺穷的。 （ ）

4. 外地人都害怕过年，本地人都不害怕过年。 （ ）

5. 心理专家认为，改变对春节的认识是治疗"年关心理恐慌症"的
   主要办法。 （ ）

十　作文　Write an essay

《我们国家的 ×× 节》

要求：你们国家有哪些重要的传统节日？这些传统节日是怎么来的？你们在这些节日都做哪些事情？选择一个写一写。400 字以上。

Directions: What important traditional festivals are celebrated in your country? What are their origins? What do you do during these festivals? Choose one of them and write a composition about it in more than 400 characters.

（16×25=400字）

10

tóu fa hé dài gōu

头发和代沟

Hair and the generation gap

一　根据课文内容填空　*Fill in the blanks based on the text*

1. 小王在很多方面都喜欢_____，许多年轻同事都跟他很_____，可是大多数_____的同事常常_____他，这大概就是人们常说的_____吧。

2. 这个周末，小王看着自己_____的头发，决定去剪短一点儿，不过还_____原来的发型和颜色。可是后来他染了一个_____的颜色——绿色。

3. 理发店的服务很_____，一会儿_____，小王的头发就被理发师_____了。走在大街上，_____所有的人都对他的头发_____。

4. 妈妈被小王的头发_____，差点儿没_____。爸爸非常严肃地_____小王，非_____他回理发店去再染成黑色不可。小王不同意，爸爸被他气得_____。

5. 过了一年，小王的绿头发就显得_____了。现在他又是一头黑发了。也许自然的、_____就是最好的吧，而且还不会被单位领导_____了。

二　根据课文内容选择正确答案　**Choose the right answers based on the text**

1. 下面哪一项不是小王参加工作感到特别高兴的原因？
   A. 有了自己的收入　　　　　　B. 有了自己的时间和空间
   C. 没有规定管着了　　　　　　D. 有很多同事跟他谈得来

2. 小王什么时候想要染头发的？
   A. 决定去理发的时候　　　　　B. 看到理发店墙上的照片时
   C. 看到街上别人的绿头发时　　D. 还在学校上学的时候

3. 下面哪一项不是妈妈看到小王之后的反应？

    A. 吓了一跳   B. 差点儿没认出他来

    C. 说不出话来   D. 严肃地教训他

4. 爸爸看到小王的绿头发感觉怎么样？

    A. 感动   B. 伤心   C. 生气   D. 让步

5. 下面哪一项不是一年以后小王又染成黑头发的好处？

    A. 省钱   B. 黑头发显得与众不同

    C. 不会被爸爸骂了   D. 不会被领导批评了

三 选词填空   Choose the words to fill in the blanks

看不惯	吓了一跳	落后	严肃
议论纷纷	工夫	周到	好玩儿

1. 我正在听录音，同屋突然撞开门进来，我被（   ）。

2. 动物园是个（   ）的地方，很多小孩都喜欢去。

3. 别打扰我，我现在没（   ）跟你说话。

4. 这个地方太（   ）了，连汽车都没有。

5. 谢谢你帮我预订火车票，你想得真（   ）。

6. 飞机突然推迟起飞了，旅客们都在候机大厅里站着，（   ）。

7. 我最（   ）有些人随地吐痰。

8. 王老师是一个很（   ）的人，从来不开玩笑，同学们都有点儿怕他。

四 在括号里填上合适的形容词   Fill in the blanks with the right adjectives

（   ）的服务   （   ）的生活   （   ）的反应

（   ）的思想   （   ）的发型   （   ）地教训

五 将下列句子改成"被"字句

Change the following sentences into the "被" sentences

例：理发师剪短了他的头发。→ 他的头发被理发师剪短了。

1. 他推开了门。   → _____

2. 他喝完了这杯水。→ _____

3. 小明煮破了饺子。→ _____

4. 小丽弄坏了这台电脑。→_____

5. 他说的话气坏了老师。→_____

6. 那个孩子骗了爸爸。　→_____

六　将下列"被"字句改成一般形式的句子
Change the following "被" sentences into sentences in active voice

例：很多年轻人被小王的头发吸引住了。

　　→ 小王的头发吸引住了很多年轻人。

1. 我被同屋吓了一跳。

　　→_____

2. 那本小说被王老师借走了。

　　→_____

3. 妹妹被他骂哭了。

　　→_____

4. 爸爸被他气得说不出话来。

　　→_____

5. 那些旧报纸已经被我扔掉了。

　　→_____

6. 鞭炮被孩子放完了。

　　→_____

七　用括号里的词语完成句子
Complete the sentences with the words or patterns in the parentheses

1. 我一直很想去看看长城，今年夏天_____。
　　　　　　　　　　　　　　　　　　　　　　　　　　（非……不可）

2. 我的自行车被小偷偷走了，我_____。
　　　　　　　　　　　　　　　　　　　　　　　　　　（非……不可）

3. 夏天到了，_____。（一天比一天）

4. 他来中国以后变化很大，_____。（一天比一天）

5. 他很喜欢看中国电影，_____。（几乎）

6. 他太与众不同了，同学们_____。（几乎）

7. 我约他假期去云南旅行，可是他＿＿＿＿＿＿＿＿＿＿＿＿＿＿＿。（偏）

8. 他让我买红色的衣服，我＿＿＿＿＿＿＿＿＿＿＿＿＿＿＿＿＿。（偏）

9. 父母让他去美国留学，可是他·＿＿＿＿＿＿＿＿＿＿＿＿＿＿。（偏）

10. 我本来打算明天去趟商店，可是突然发现这个月的生活费都花完了，
＿＿＿＿＿＿＿＿＿＿＿＿＿＿＿＿＿＿＿＿＿＿。（只好）

11. 虽然李明还想在家里多待几天，但是下周单位就要上班了，他＿＿＿＿
＿＿＿＿＿＿＿＿＿＿＿＿＿＿＿＿＿＿＿＿＿＿。（只好）

12. 他不是我的朋友，因为在我有困难的时候，他＿＿＿＿＿＿＿＿＿＿＿
＿＿＿＿＿＿＿＿＿＿＿＿＿＿＿＿＿＿＿＿＿＿。（肯）

13. 他总是很小气，＿＿＿＿＿＿＿＿＿＿＿＿＿＿＿＿＿＿＿。（肯）

八 阅读理解 Reading comprehension

牛郎织女的故事

在晴朗的夜晚，你能看到天空中淡淡的银河两边有两颗很亮的星星，一颗叫牛郎星，一颗叫织女星。传说这两颗星是两个人变的。

很久以前，有一个年轻人，从小就没有父母，一个人跟一头老牛一起生活，被人们称做"牛郎"。牛郎又勤劳又善良，可是因为家里很穷，村里的姑娘都不愿意嫁给他。

牛郎对他的老牛非常好。一天，老牛要死了，它对牛郎说："三天以后，有七个姑娘会在村边的小河里洗澡，她们的衣服都放在河边的树林里。你拿走那件粉红色的衣服，那个被拿走衣服的姑娘就是你的妻子。另外，我死后，你剥下我的皮，披上它就可以飞到天上。"老牛死后，牛郎很

牛郎	Niúláng PN
	(a boy in a Chinese legend) Cow Herder, Altair
织女	Zhīnǚ PN
	(a girl in a Chinese legend) Weaver Girl, Vega
晴朗	qínglǎng Adj sunny
淡	dàn Adj light
银河	yínhé N the Milky Way
颗	kē M *a measure word for stars*
勤劳	qínláo Adj hard-working
善良	shànliáng Adj kind-hearted
嫁	jià V to marry a man
树林	shùlín N woods
另外	lìngwài Conj besides
剥	bāo V to peel
披	pī V to drape over one's shoulders

伤心，他埋葬了老牛，又按照老牛说的话娶到了那个穿粉红色衣服的姑娘。

这个姑娘叫织女，是天上的玉皇大帝和王母娘娘的小女儿。她很喜欢牛郎，也很喜欢人间的生活。牛郎和织女两个人幸福地劳动、生活，还有了一儿一女。织女不想再回天上去了。

可是这件事很快就传到了天上。王母娘娘非常生气："我的女儿，一个仙女，怎么能嫁给一个放牛的穷小子呢？"她非逼织女回来不可，可是织女不肯，王母娘娘就把织女抓到了天上。

牛郎连忙披上老牛的皮，用扁担挑起他们的两个孩子追到了天上。王母娘娘气坏了，用手在身后一画，画出了一道宽宽的银河。牛郎和织女就被银河隔开了。

狠心的王母娘娘只让他们每年七月七日见一次面。那天你很难找到喜鹊，因为所有善良的喜鹊都飞到天上为牛郎织女搭桥去了。牛郎和织女每年就是走过喜鹊搭成的桥在银河上见面的。那天晚上，如果你在葡萄架下仔细听，还能听到他们说的悄悄话呢！

埋葬	máizàng	V	to bury

娶 qǔ V to marry a woman

玉皇大帝 Yùhuáng Dàdì PN Jade Emperor, a legendary god in Chinese folk culture

王母娘娘 Wángmǔ Niángniang PN Queen Mother of the Western Heavens, a legendary goddess in Chinese folk culture

人间 rénjiān N man's world

仙女 xiānnǚ N fairy

扁担 biǎndan N shoulder pole

挑 tiāo V to carry on either end of a shoulder pole

狠心 hěnxīn Adj relentless

喜鹊 xǐquè N magpie

悄悄话 qiāoqiāohuà N whisper

回答问题 Answer the questions

1. 牛郎为什么叫这个名字？

_____

2. 织女是谁？

_____

3. 牛郎是怎么娶到织女的？

_____

4. 王母娘娘为什么不同意织女跟牛郎结婚？她做了什么？

_____

5. 牛郎和织女每年是怎么见面的？

_____

九 作文 Write an essay

要求：以下两个题目任选一个，字数不少于400字。

Directions: Choose one of the two topics to write a composition in no fewer than 400 characters.

1.《理发趣事》

提示：你在中国理过发吗？在理发的时候有没有发生什么有趣的事情呢？

Cues: Did you have your hair cut in China? Did any interesting things happen when you got the haircut?

2.《我看代沟》

提示：你认为父母和孩子之间有没有代沟问题？在你们家有没有这个问题？出现这个问题的原因是什么？有什么解决的办法吗？

Cues: Do you feel there is a generation gap between parents and children? Does your family have this problem? What are the reasons for it? What are the solutions to it?

（16×25=400字）

单元测试二（6~10课）

Unit Test 2 (Lessons 6~10)

（60分钟）

(60 minutes)

一 根据拼音写汉字（10分，每题1分）

Write the characters according to the *pinyin* (1 mark for each question with a total of 10 marks)

zēngjiā	huīfù	tuījiàn	jīdòng	shúxi
（　　）	（　　）	（　　）	（　　）	（　　）

jiàngluò	fānyì	yāoqǐng	pǔsù	yánsù
（　　）	（　　）	（　　）	（　　）	（　　）

二 选词填空（22分，每题1分）

Choose the words to fill in the blanks (1 mark for each question with a total of 22 marks)

1. ＿＿＿＿认识了这个中国朋友，我觉得自己的汉语好了很多。

    A. 从前　　　　B. 自从　　　　C. 从此　　　　D. 原来

2. 老师，我＿＿＿＿以后不再迟到了。

    A. 保证　　　　B. 保险　　　　C. 保护　　　　D. 证明

3. 我们应该＿＿＿＿利用在中国的时间多说汉语。

    A. 丰富　　　　B. 富有　　　　C. 充足　　　　D. 充分

4. 飞机十点就起飞了，可是他九点半才从学校出发，＿＿＿＿赶不上飞机了。

    A. 害怕　　　　B. 恐怕　　　　C. 可怕　　　　D. 不怕

5. 因为没有准备好，他对明天的考试没有太大的＿＿＿＿。

    A. 决心　　　　B. 爱心　　　　C. 信心　　　　D. 信任

6. 他太想家了，朋友家的条件虽然很好，但是他一天也＿＿＿＿不住了。

    A. 住　　　　B. 停　　　　C. 留　　　　D. 待

7. 他说的不是普通话，我_____才明白他的意思。

    A. 好容易   B. 容易   C. 不容易   D. 很容易

8. 我喜欢看_____经济的新闻。

    A. 由于   B. 至于   C. 终于   D. 关于

9. 听说朋友生病了，我下了课就直_____医院。

    A. 奔   B. 走   C. 跑   D. 去

10. 你了解中国人的_____生活吗？

    A. 平常   B. 日常   C. 常常   D. 日用

11. 他宿舍的窗台上_____着一盆鲜花。

    A. 敲   B. 端   C. 盖   D. 摆

12. 你在中国还习惯吗？能不能_____留学生活？

    A. 适合   B. 适当   C. 适应   D. 适用

13. 这支笔你拿去用吧，我_____带了两支。

    A. 正好   B. 正在   C. 好在   D. 显得

14. 我给他们送去了结婚礼物，_____祝他们新婚快乐。

    A. 和   B. 并   C. 而且   D. 又

15. 同学们对这次考试都很_____，很早就开始准备了。

    A. 重要   B. 重点   C. 重量   D. 重视

16. 种树种草不但能_____我们的生活环境，而且还能让我们的心情更好。

    A. 改善   B. 改革   C. 改变   D. 变化

17. 他起床起晚了，_____了飞机。

    A. 错过   B. 度过   C. 过来   D. 走过

18. 我们十多年没有见面了，我_____认出他来。不过一听他的声音，我就记起他的名字了。

    A. 差点儿   B. 差点儿没   C. 没差点儿   D. 差点儿不

19. 我们_____要求他为自己的错误行为赔礼道歉。

    A. 强调   B. 加强   C. 强壮   D. 强烈

20. 他的行为很奇怪，同学朋友们都表示不能_____。
     A. 理解　　　　　B. 了解　　　　　C. 解释　　　　　D. 讲解

21. 她虽然是三个孩子的母亲了，但是身材依然_____得非常好。
     A. 保护　　　　　B. 保证　　　　　C. 保持　　　　　D. 保存

22. 他太与众不同了，很多人看不惯他的行为，对他的_____很多。
     A. 讨论　　　　　B. 议论　　　　　C. 谈论　　　　　D. 论文

三　选词填空（10分，每题1分）
Choose the words to fill in the blanks (1 mark for each question with a total of 10 marks)

1. 这个工作太难了，我做不_____。
   A. 住　　　　　B. 了　　　　　C. 下　　　　　D. 动

2. 这么贵的汽车我买不_____。
   A. 好　　　　　B. 了　　　　　C. 起　　　　　D. 到

3. 我吃饱了，这块蛋糕我真的吃不_____了。
   A. 住　　　　　B. 好　　　　　C. 动　　　　　D. 下

4. 寄到日本的信一个星期收得_____吗？
   A. 住　　　　　B. 下　　　　　C. 动　　　　　D. 到

5. 我想_____了，你叫王朋，跟我是小学同学。
   A. 回来　　　　　B. 出来　　　　　C. 起来　　　　　D. 下来

6. 我已经看_____了，你并不是来帮忙的，完全是来捣乱的。
   A. 回来　　　　　B. 出来　　　　　C. 起来　　　　　D. 下来

7. 你说得很好，说_____。
   A. 下来　　　　　B. 下去　　　　　C. 起来　　　　　D. 出来

8. 这个菜虽然不好看，可是吃_____却很好吃。
   A. 下来　　　　　B. 出来　　　　　C. 起来　　　　　D. 过来

9. 快去看看吧，他们两个人打_____了。
   A. 下来　　　　　B. 出来　　　　　C. 起来　　　　　D. 过来

10. 我们虽然来自不同的国家，有不同的文化，可是我们两个人很谈得_____，是好朋友。

A. 去   B. 来   C. 下去   D. 起来

四 用括号里的词语完成句子（16分，每题2分）

Complete the sentences with the words or patterns in the parentheses (2 marks for each question with a total of 16 marks)

1. 他的身体很好，_____。（从来）

2. 我明天很忙，_____。（恐怕）

3. 昨天的作业太多了，我_____。（好不容易）

4. _____，他知道得很多。（关于）

5. 他是个好学生，_____。

（尽管……可是……）

6. 旅行有很多好处，_____。

（一方面……，另一方面……）

7. 他去过的地方很少，_____。

（连……都……）

8. 办签证很容易，_____。

（只要……就……）

五 按要求改写句子（10分，每题2分）

Rewrite the sentences following the directions (2 marks for each question with a total of 10 marks)

1. 山下请假的理由不太充分，马里请假的理由很充分。

（改为"A 没有 B + 这么 / 那么 + 形容词"的形式   Rewrite the sentence with the sentence pattern "A 没有 B + 这么 / 那么 + adjective"）

_____

2. 那个人骗了我。

（改为"被"字句   Rewrite the sentence into the "被" sentence）

_____

3. 老师被他的话气得直发抖。

（改为非被动句　Rewrite the sentence into a sentence in active voice）

_____

4. <u>去年暑假</u>我和同屋跟旅行团一起去了云南。

（用"是……的"句强调画线部分　Emphasize the underlined part using "是……的"）

_____

5. 他没有时间吃<u>饭</u>。

（用"连……都……"强调画线部分　Emphasize the underlined part using "连……都……"）

_____

 六　阅读理解（12分）　Reading comprehension (12 marks)

现在，父母常常觉得子女太不知道尊重和孝顺父母了，而子女也认为父母太不了解儿女了，本来非常好的家庭却常常吵架，似乎代沟在很多家庭都存在。

父母和子女之间为什么会有代沟呢？

心理学家认为，人们在很小的时候形成的行为、习惯、思想观念、性格等，不容易有太大的变化，人们总愿意坚持自己的意见，因此就产生了代沟。对于代沟，我们应该有一个正确的看法。

我们应该知道，有代沟并不是一件坏事。社会心理学家认为，有代沟说明人类社会向前发展了，我们对它的态度应该是欢迎。如果你的子女和你的意见不一样，你应该感到高兴。只要他跟你的不同是可以解释的，你都应该支持他坚持自己的观点。这种不同并不会影响父母和子女的感情。子女和老年父母之间的这条"代沟"很早就有了，我们不能一下子就改变这种现象。父母和子女的观念不一样，我们是应该劝子女转变观念呢，还是应该劝父母转变观念呢？如果双方都坚持自己的想法，一定会影响他们之间的关系。最好的办法是互相理解，子女要多听听父母的建议，

尊重　zūnzhòng
V　to respect
存在　cúnzài
V　to exist, to be

行为　xíngwéi
N　behavior
观念　guānniàn
N　concept
正确　zhèngquè
Adj　right, correct

支持　zhīchí
V　to support

转变　zhuǎnbiàn
V　to change

父母也应该多想想孩子的观点。

观点　guāndiǎn
N　point of view

（一）判断正误（6分，每题1分）

Decide if the following statements are true or false (1 mark for each question with a total of 6 marks)

1. 父母和子女经常吵架的原因之一就是因为他们之间有代沟。　（　　）

2. 只有现代社会才有代沟。　（　　）

3. 代沟会影响父母和子女的感情，完全没有好处。　（　　）

4. 如果子女跟父母的想法不同，子女就应当听父母的。　（　　）

5. 只要我们努力去做，生活中就不会有代沟了。　（　　）

6. 心理学家认为，产生代沟的原因是人们小时候形成的思想不容
   易改变。　（　　）

（二）回答问题（6分，每题2分）

Answer the questions (2 marks for each question with a total of 6 marks)

1. 产生代沟的原因是什么？

_____

2. 对于代沟，正确的看法是什么？

_____

3. 当子女和父母的观点不同时，应该怎么办？

_____

 七　作文（20分）　Write an essay (20 marks)

			一	个	难	忘	的	假	期				

（16×25=400字）

属 相 的 故 事

A story about Chinese Zodiac

一 根据课文内容填空　Fill in the blanks based on the text

1. _____很久以前，中国没有属相。有一天，玉帝要_____十二种动物_____人类的十二个属相。动物们都认为这是一个_____的机会。虽然大家都不知道确定属相的_____是什么，可是都_____作着准备，一点儿也不敢_____。

2. 以前龙没有角，担心自己不_____标准，觉得只有把自己_____得漂漂亮亮的，才可能被选上。他很羡慕公鸡_____的角，就去找公鸡借。

3. 猫担心选属相的时候起不了床，就_____老鼠把他叫醒，老鼠很_____地答应了。可是第二天，老鼠只想着自己的_____，_____猫睡觉的工夫，自己_____先走了。

4. 猫醒来一看，_____！怎么大家已经回来了？他十分_____，可是老鼠_____有理了。猫气得直发抖，_____过去一下子就把老鼠吃掉了。从此，猫一看见老鼠就_____着咬。

二 根据课文内容选择正确答案　Choose the right answers based on the text

1. 下面哪一项不是小丽过生日收到玩具兔子的真正原因？
   A. 她属兔
   B. 今年是兔年
   C. 今年是她的本命年
   D. 她喜欢兔子

2. 龙认为玉帝选属相的标准可能是什么？
   A. 模样漂亮不漂亮
   B. 本领大不大
   C. 起床早不早
   D. 会不会游泳

3. 老鼠认为玉帝选属相的标准可能是什么？
   A. 模样漂亮不漂亮
   B. 本领大不大
   C. 起床早不早
   D. 会不会游泳

4. 猫为什么没有被选进十二属相?

A. 因为他没有到天上去　　　　　B. 因为他要吃老鼠

C. 因为他的本领太大　　　　　　D. 因为他不相信老鼠

三 选词填空 Choose the words to fill in the blanks

(一)　扑　追　咬　藏　醒　戴　选

1. 我们(　　　)小王当我们班的班长。

2. 这个面包太硬了,我(　　　)不动。

3. 已经上午 10 点钟了,他还在睡觉,还没(　　　)呢!

4. 你(　　　)手表了吗?

5. 那只猫一下子就把老鼠(　　　)倒了。

6. "抓小偷!"警察从那边跑过来,边(　　　)边喊。

7. 快别(　　　)了,我已经看见你了,出来吧!

(二)　符合　痛快　陆续　打扮　打听　确定

1. 电影马上就要开始了,观众们(　　　　　)走进了电影院。

2. 我这个学期得(　　　　　)自己的专业。

3. 他的爱好是什么,你帮我(　　　　　)一下,好吗?

4. 小王写的作文不(　　　　　)老师的要求,被老师退了回来。

5. 他(　　　　　)地答应着:"你放心,这个忙我一定帮。"

6. 她虽然 50 多岁了,但是(　　　　　)得像 30 多岁的样子。

四 将下列句子改成"把"字句 Rewrite the following sentences into the "把" sentences

例:他拿错了钱包。→ 他把钱包拿错了。

1. 小张拿出来一本书。

　→ _____

2. 我已经做完作业了。

　→ _____

3. 王老师煮好了饺子。

　→ _____

4. 小明弄坏了那台新电脑。

　→ _____

5. 那件事情你说清楚了吗?

　　→ _____

五 　用所给的词语造"把"字句，动词后要添加合适的成分

Make the "把" sentences with the words or phrases given. Add the right elements after the verbs

例：那封信　　　寄　→ 你把那封信寄出去了吗?

1. 春联　　　贴

　　→ _____

2. 汽车　　　开

　　→ _____

3. 电脑　　　修

　　→ _____

4. 生词　　　记

　　→ _____

5. 饭菜　　　准备

　　→ _____

6. 我的钱包　　　偷

　　→ _____

六 　看图说话　**Talk about the following pictures**

　　田中的女朋友要来中国看他了，为了给女朋友一个干净整齐的好印象，田中早上一起床就开始收拾房间了。请用"把"字句说一说田中都做了什么。

　　Tanaka's girlfriend was coming to China to see him. To give his girlfriend a good impression that he was clean and tidy, Tanaka began to clean his room right after he got up in the morning. Please use the "把" sentences to describe what Tanaka did.

例：袜子：田中把脏袜子藏起来了。

1. 衣服：_____

2. 汉语书：_____

3. 地板：_____

4. 被子：_____

5. 垃圾：_____

6. 窗子：_____

……

七 **用括号里的词语完成句子**
Complete the sentences with the words or phrases in the parentheses

1. 学好汉语不那么容易，_____。

（只有……才……）

2. 在别的国家吃中国菜都不太地道，_____

_____。（只有……才……）

3. 学好汉语也不难，_____。

（只要……就……）

4. 虽然北京的交通很拥挤，不过，_____。

（只要……就……）

5. 这件事只有我们两个人知道，你_____。（千万）

6. 来中国以前，妈妈提醒我_____。（千万）

7. 是他开车撞了我，可是他_____。（倒）

8. 今年的天气很奇怪，_____。（倒）

9. 今天我病了，不能上课，我_____。（托）

10. 听说我要回国了，国内的朋友_____。（托）

11. 我自己并不会汉语，所以在中国旅行的时候，我_____

_____。（靠）

12. 他自己没有工作，_____。（靠）

八 阅读理解 **Reading comprehension**

东郭先生和狼

东郭是一位教书的老先生。一天，他骑着毛驴走在一条偏僻的小路上，毛驴的背上还驮着两口袋书。

突然，一只狼从前面跑过来说："先生，先生，救救我吧！有一个猎人追来了，他要杀我！"

东郭先生说："我听说狼不是好东西，我不能救你。"

狼连忙说："我是一只好狼，从不吃人。你救了我，我会好好儿感谢你的！"

东郭先生说："可是我怎么救你呢？"

狼说："很容易，你把我藏在你的口袋里就可以了。"

东郭先生就把一个口袋里的书倒在另一个口袋里，把狼藏了进去。

一会儿，猎人来了。他问东郭先生有没有看见一只狼，东郭先生说没有看见，猎人就又向前追过去了。

猎人走后，东郭先生把狼从口袋里放出来。狼说："谢谢你，你帮了我一个忙，现在你得再帮我一个忙。"东郭先生说："我还能帮你做什么呢？"狼说："我饿坏了，你就当顿饭，帮我填饱肚子吧！"说着就扑过去要吃东郭先生。

东郭先生吓坏了，和狼绕着毛驴跑了起来。就在狼快要追上东郭先生的时候，走过来一个农民。东郭先生连忙请农民救自己。没想到狼也跑过来说："刚才这个人把我装进口袋里，我差一点儿就被闷死了，所以我要吃了他！"

农民想了想说："口袋这么小，怎么能装得下一只

| 东郭 | Dōngguō |
| PN a surname |
| 狼 láng N wolf |
| 毛驴 máolú N donkey |
| 偏僻 piānpì Adj remote |
| 背 bèi N back |
| 驮 tuó V to carry on the back |
| 救 jiù V to save |
| 猎人 lièrén N hunter |
| 饿 è V to be hungry |
| 填 tián V to fill, to stuff |
| 绕 rào V to move in a circle |
| 闷 mēn V to smother |

狼呢？"狼连忙说："装得下，装得下！你要不信，我钻进去给你看看。"说完，狼就钻进了口袋。农民连忙用绳子把口袋扎了起来，搬起一块大石头来把狼砸死了。

农民对东郭先生说："对狼这样的坏东西，永远都不要可怜它。"

钻	zuān	V	to get into
绳子	shéngzi	N	rope
扎	zā	V	to tie
砸	zá	V	to smash
可怜	kělián	V	to show pity for

判断正误 **Decide if the following statements are true or false**

1. 东郭是个老师。 （ ）

2. 狼当时很可怜。 （ ）

3. 东郭一开始就想救狼。 （ ）

4. 东郭把狼藏在毛驴肚子下面。 （ ）

5. 猎人相信了东郭的话。 （ ）

6. 狼要吃东郭先生是因为它觉得东郭先生想要闷死它。 （ ）

7. 农民相信了狼的话。 （ ）

8. 农民其实知道口袋里能装下狼。 （ ）

9. 猎人上了东郭的当，东郭上了狼的当，狼上了农民的当。 （ ）

10. 这个故事主要告诉我们，不要相信任何人。 （ ）

九 作文 **Write an essay**

《我们国家的一个传统故事》

要求：你们国家有没有传统的有趣的故事？请介绍一下。500 字以上。

Directions: Are there any interesting legends in your country? Please write about them in more than 500 characters.

（16×32=512 字）

xué zuò shuǐ jiān bāo
学做水煎包
Learning to cook fried stuffed buns

一 根据课文内容填空　**Fill in the blanks based on the text**

1. 小丽的父母把我_____他们的女儿，小丽妈妈要给我做她最_____的
   水煎包。我心里充满了_____，很想看看做水煎包的整个_____。

2. 包包子跟包饺子差不多，但是皮儿_____不能太薄，_____容易破。
   你可以把包子包成饺子的_____，也可以包成圆的，都很好看。如果
   包子_____，就把馅儿拿出一点儿来。

3. 水煎包不是_____的，也不是_____的，而是用平底锅_____的。

4. 水煎包做好了，好_____啊！我_____先尝了一个，真好吃！这是
   我吃过的最好吃的东西_____。回去我自己也要试一试。

5. 我不太喜欢_____豆腐，但是很喜欢醋熘土豆丝。

二 根据课文内容选择正确答案　**Choose the right answers based on the text**

1. "我"到小丽家以后为什么很感动？
   A. 因为小丽妈妈要给"我"做水煎包
   B. 因为小丽的父母不要"我"的礼物
   C. 因为小丽的父母邀请"我"去做客
   D. 因为小丽的父母把"我"当做他们的女儿

2. 下面哪一项是和面的正确顺序？
   A. 盆里放面粉——用温水和面——放酵母粉——盖上盖子
   B. 盆里放面粉——放酵母粉——用温水和面——盖上盖子
   C. 盆里放面粉——盖上盖子——用温水和面——放酵母粉
   D. 盆里放面粉——放酵母粉——盖上盖子——用温水和面

3. 下面哪一项是做馅儿的正确顺序？
   A. 把蔬菜切碎——加盐、酱油、油——把各种东西混在一起——把木耳
   切碎

B. 把蔬菜切碎——把各种东西混在一起——把木耳切碎——加盐、酱油、油

C. 把蔬菜切碎——把木耳切碎——把各种东西混在一起——加盐、酱油、油

D. 把蔬菜切碎——把木耳切碎——加盐、酱油、油——把各种东西混在一起

4. "我"包的包子为什么合不上口？

　　A. 因为"我"很笨　　　　　　　B. 因为"我"包的包子是圆形的

　　C. 因为"我"包的包子像饺子一样　D. 因为"我"放的馅儿太多了

5. 下面哪一项是煎包子的正确顺序？

　　A. 把平底锅放在炉子上——滴几滴油——把包子搁在锅里——盖上盖子——打开盖子——沿锅边倒一点儿水——盖上盖子煎八九分钟

　　B. 把平底锅放在炉子上——把包子搁在锅里——滴几滴油——盖上盖子——打开盖子——沿锅边倒一点儿水——盖上盖子煎八九分钟

　　C. 把平底锅放在炉子上——滴几滴油——把包子搁在锅里——沿锅边倒一点儿水——盖上盖子——打开盖子——盖上盖子煎八九分钟

　　D. 把平底锅放在炉子上——把包子搁在锅里——滴几滴油——盖上盖子——沿锅边倒一点儿水——打开盖子——盖上盖子煎八九分钟

三　写一写你知道的跟做饭有关的词语　Write the words related to cooking

_____　_____　_____　_____　_____

四　朗读下列短语　Read aloud the following phrases

拿手菜　　　　拿手戏　　　　最拿手

盖盖子　　　　盖被子　　　　盖上

煎包子　　　　煎鱼　　　　　煎鸡蛋

肥肉　　　　　瘦肉　　　　　肉馅儿

切菜　　　　　切肉　　　　　切碎

切条　　　　　切块儿　　　　切丝

五　用合适的短语完成下列"把"字句
　　Complete the following "把" sentences with the right phrases

1. 我把那张画儿_____你的书上了。

2. 小明把电脑＿＿＿＿＿＿＿＿＿＿自己的房间里。

3. 我们已经把春联 ＿＿＿＿＿＿＿＿＿门上了。

4. 我们把老师＿＿＿＿＿＿＿＿＿＿我们的朋友。

5. 动物们把选十二属相＿＿＿＿＿＿＿＿一个宝贵的机会。

6. 他把完成这个计划 ＿＿＿＿＿＿＿＿今年最重要的事情。

7. 请你把这本书＿＿＿＿＿＿＿＿＿马克。

8. 你能把这本书＿＿＿＿＿＿＿＿＿＿我看看吗？

9. 把你画的这张画儿＿＿＿＿＿＿＿＿我好吗？

六 **用下列词语造"把"字句** Make the "把" sentences using the following words or phrases

例：女儿　　　　　当做　→ 他们把我当做自己的女儿。

1. 黄瓜和西红柿　　　种在

→ ＿＿＿＿＿＿＿＿＿＿＿＿＿＿＿＿＿＿＿＿＿＿＿＿＿

2. 汽车　　　　　　　停在

→ ＿＿＿＿＿＿＿＿＿＿＿＿＿＿＿＿＿＿＿＿＿＿＿＿＿

3. 瘦肉　　　　　　　切成

→ ＿＿＿＿＿＿＿＿＿＿＿＿＿＿＿＿＿＿＿＿＿＿＿＿＿

4. 学生　　　　　　　看做

→ ＿＿＿＿＿＿＿＿＿＿＿＿＿＿＿＿＿＿＿＿＿＿＿＿＿

5. 钱　　　　　　　　交给

→ ＿＿＿＿＿＿＿＿＿＿＿＿＿＿＿＿＿＿＿＿＿＿＿＿＿

6. 这封信　　　　　　寄给

→ ＿＿＿＿＿＿＿＿＿＿＿＿＿＿＿＿＿＿＿＿＿＿＿＿＿

七 田中今天搬家，可是他的汉语不太好，面对几个搬家工人，他不知道怎么告诉他们应该做的事情，请你帮帮他，好吗？（请注意使用"把"字句）

Tanaka is moving today. However, he doesn't know how to tell the movers what they should do because he cannot express himself clearly in Chinese. Will you help him? (Please use the "把" sentences)

例：放　　电视机　→ 请你把电视机放在这张桌子上。

1. 搬　　床　　　→ ＿＿＿＿＿＿＿＿＿＿＿＿＿＿＿＿＿＿＿＿

2. 放　　冰箱　　→ _____

3. 挂　　画　　　→ _____

4. 摆　　书　　　→ _____

5. 搁　　行李箱　→ _____

......

八 用括号里的词语完成句子

Complete the sentences with the words or patterns in the parentheses

1. 你快点儿收拾吧，_____。（否则）

2. 我们应该开始复习了，_____。（否则）

3. 他一定要去染头发，_____。

（无论……都……）

4. 我很想去云南旅行，_____。

（无论……都……）

5. 明天得有一个人去买水煎包，_____。

（不是……就是……）

6. 我以前见过这个人，_____。

（不是……就是……）

7. 中国的名胜古迹很多，_____。

（……之一）

8. 我们班的同学学习都很努力，_____。

（……之一）

9. 我们查了很多词典，都没有找到这个词，_____

_____？（到底）

10. 我们都不知道他的名字，_____？（到底）

九 阅读理解 **Reading comprehension**

（一）"狗不理"包子的由来

　　"狗不理"包子是天津有名的风味小吃，皮儿白，馅儿香，肥而不腻，味道十分鲜美。可是，这种又好吃又有名的食品怎么会有"狗不理"这样一个奇怪的名字呢？

　　传说在清朝的时候，天津附近的一个村庄里住着一个叫高贵有的少年，他的性格非常倔犟，脾气很大，父母批评他，他也不听。大家都说他的脾气坏得连狗都不愿意答理，就给他起了一个绰号叫"狗不理"。

　　高贵有十四岁的时候被父亲送到天津的"刘家蒸包铺"去学手艺。他虽然脾气不好，但是不怕苦不怕累，人也很聪明，无论什么东西都是一学就会。在师傅们的帮助下，他做包子的手艺不断提高，很快在天津就有了一点儿小名气。三年以后，高贵有离开了刘家蒸包铺，自己开了一家包子铺。由于高贵有手艺好，做事非常认真，从来不掺假，所以做出来的包子特别好吃，来吃他的包子的人也越来越多。因为大家都习惯了叫他的绰号"狗不理"，所以就把他做的包子也称为"狗不理"。没想到这个特别的名字让他包子店的生意更好了。

　　高贵有的生意做得越好就越觉得"狗不理"这个名字难听，他就给自己的包子铺取了一个好听的名字，叫"聚德号"。可是大家已经习惯了"狗不理"的名字，

狗不理	Gǒubùlǐ	PN

a name brand of steamed stuffed bun

天津	Tiānjīn	PN

a municipality directly under the Central Government located in Northern China

鲜美	xiānměi	Adj	delicious
村庄	cūnzhuāng	N	village
高贵有	Gāo Guìyǒu	PN	

name of a person

少年	shàonián	N	lad, boy
倔犟	juéjiàng	Adj	stubborn
脾气	píqi	N	temper
答理	dāli	V	

(*usually used in the negative*) to respond (to others' remark)

绰号	chuòhào	N	nickname
刘家蒸包铺	Liújiā Zhēngbāopù	PN	

name of a small restaurant selling steamed stuffed bun

手艺	shǒuyì	N	

craftsmanship

名气	míngqì	N	

fame, reputation

掺假	chān jiǎ	V//O	

to adulterate

难听	nántīng	Adj	

unpleasant to hear

聚德号	Jùdé Hào	PN	

name of a restaurant selling steamed stuffed bun

连外地人都知道了这个名字，没有人用高贵有新起的"聚德号"。高贵有一看"狗不理"这个名字怎么也扔不掉了，没有办法，只好任凭大家这样叫下去了。

就这样，"狗不理"的名号越传越远，"狗不理"包子也越来越被人们喜欢，成了中国著名的传统风味小吃。

（选自千龙新闻网）

任凭 rènpíng V to allow sb. to do sth. as he pleases
名号 mínghào N name and alias

判断正误 Decide if the following statements are true or false

1. "狗不理"包子是北京的特色小吃。　　　　　　（　　）
2. 因为最开始做这种包子的人叫"狗不理"，所以这种包子就叫"狗不理"。　　　　　　（　　）
3. 高贵有的性格不太好，连狗也不喜欢他。　　　　（　　）
4. 高贵有做生意从来不骗人。　　　　　　　　　　（　　）
5. 高贵有并不愿意让他的包子叫"狗不理"这个名字。（　　）
6. "狗不理"包子就是后来的"全聚德"烤鸭。　　　　（　　）

（二）醋熘土豆丝

原料：土豆一个；油、盐、醋、味精、葱、姜各少许

方法：①将土豆去皮儿，切成细丝，放在清水中泡半个小时，捞出备用。
②将葱切成丝，姜切成丝。
③将锅放在炉子上。锅热后倒入油，待油烧热后将葱丝、姜丝放入锅内，炒出香味后，加入土豆丝翻炒。

原料 yuánliào N ingredients
味精 wèijīng N MSG
少许 shǎoxǔ Adj a small amount of
方法 fāngfǎ N method
将 jiāng Prep used to introduce the object before a verb
细 xì Adj thin
捞 lāo V to scoop up from a liquid
备用 bèiyòng V to reserve, to keep for future use
待 dài to wait for, to await
翻炒 fān chǎo to stir-fry

④ 锅内加入盐、醋、味精，翻炒几下，即可出锅。

特点：清脆爽口

即　jí　Adv　at once, immediately

清脆　qīngcuì　Adj
refreshing and crisp

爽口　shuǎngkǒu　Adj
refreshing and tasty

阅读菜谱，用自己的话复述醋熘土豆丝的做法
Read the recipe and retell in your own words how to make "fried potato with vinegar"

 作文　Write an essay

《我们国家的一种传统食品》

要求：你们国家有哪些传统食品？这些食品的特点是什么？它们是怎样制作的？请介绍其中的一种。500 字以上。

Directions: What traditional foods are there in your country? What are their characteristics? How are they made? Please write about one of them in more than 500 characters.

（16×32=512字）

他应该学什么专业

What subject should he study

一 　**根据课文内容填空**　**Fill in the blanks based on the text**

1. 马阳在_____中学上学，学习成绩很_____，是一个很_____的学生。现在对马阳来说，重要的就是早一点儿_____考什么专业。

2. 马阳以为父母会_____自己上农业大学的想法，可是没想到，当他_____父母的意见时，却_____了父母的强烈反对。

3. 兴趣是做好一_____事业的_____，如果将来_____自己不喜欢的工作，_____能挣很多钱，也没有意思，那是在_____日子，_____生命。

4. 马阳的父母认为，_____马阳的生活_____太少，社会经验不丰富，因此想问题_____考虑。现在学农业的人收入高只是_____，学计算机的收入高却是_____，个人的主观愿望应该_____社会的客观现实。

5. 父母的意见使马阳非常_____，_____自己不能_____自己的命运吗？他不知道是不是应该劝父母_____观念，他想再去找老师商量商量。

二 　**根据课文内容选择正确答案**　**Choose the right answers based on the text**

1. 关于马阳考重点大学没问题的原因，下面哪一项是不正确的？
   A. 因为他在重点中学　　　　　B. 因为他拼命学习
   C. 因为他的成绩很突出　　　　D. 因为他要考农业大学

2. 下面哪一项不是马阳的父母反对他考农业大学的原因？
   A. 学习不太好的学生才上农业大学　　B. 学农业将来都要往山区跑
   C. 考农业大学太难　　　　　　　　　D. 学农业将来没有前途

3. 马阳对父母的哪条意见说明了自己的理由？
   A. 学习不太好的学生才上农业大学　　B. 学农业将来都要往山区跑

C. 学农业的学生将来收入很少　　　　D. 学农业将来没有前途

4. 下面哪个专业不是马阳的父母想让他学习的专业？

　　A. 计算机　　　　　B. 经济　　　　　C. 法律　　　　D. 医学

5. 如果请你接着写下去，你会写什么内容？

　　A. 马阳的老师有什么看法

　　B. 马阳的同学有什么看法

　　C. 马阳父母的同事有什么看法

　　D. 跟马阳情况相同的其他学生的经历

三　用线将可以搭配的词语连起来
Draw lines to match the words on the left with the words on the right

成绩	丰富	浪费	命运
观点	普遍	掌握	意见
现象	突出	赞成	生命
经验	明确	征求	观点

四　选词填空　Choose the words to fill in the blanks

转变　商量　服从　承认　从事　反对　赞成　掌握

1. 那个小偷已经（　　　　）是自己偷了邻居的东西。

2. 你现在（　　　　）什么工作？

3. 你是（　　　　）他的观点呢，还是（　　　　）他的观点？

4. 以前，作为子女，虽然有时候不同意父母的决定，但是也只能（　　　　）。

5. 老师和他谈话以后，他的思想（　　　　）了。

6. 这么重要的事情，你怎么可以不跟家里人（　　　　）就自己做决定呢？

7. 这个词的用法很难，很多同学都（　　　　）不好。

五　将下列反问句改成一般句子形式
Rewrite the following rhetorical questions into declarative sentences

例：今天是星期二，明天怎么不是星期三呢？

　　→今天是星期二，明天是星期三。

1. 考试的内容我怎么会知道呢？

　　→＿＿＿＿＿＿＿＿＿＿＿＿＿＿＿＿

2. 难道我愿意浪费自己的生命吗?

→ _____

3. 老师请我吃饭,我哪能不去呀?

→ _____

4. 这不是你家的孩子吗?

→ _____

5. 你不是已经去上海了吗?

→ _____

6. 好朋友生病住院了,我怎么能不去看看呢?

→ _____

六 将下列一般句子形式改为反问句

Rewrite the following declarative sentences into rhetorical questions

例:他是我的同屋,我当然知道他的名字。

→ 他是我的同屋,我哪能不知道他的名字?

1. 他又聪明又努力,不会考不上大学。

→ _____

2. 我是你的好朋友,在你有困难的时候我一定会帮助你的。

→ _____

3. 不下雨了,别带雨伞了。

→ _____

4. 你是中国人,应该会说汉语。

→ _____

5. 这么有意思的电影我当然要去看。

→ _____

6. 那个商场不远,走路五分钟就到了。

→ _____

七 用括号里的词语完成句子

Complete the sentences with the words or patterns in the parentheses

1. 我一定要学习这个专业,_____。

(即使……也……)

2. 龙是不会把角还给公鸡的，_____。

（即使……也……）

3. _____，我们都没有意见。（对于）

4. _____，我一点儿都不赞成。（对于）

5. 今年他非回家跟父母过一个团圆年不可，_____

_____。（不管……都……）

6. 小明很想要一台电脑，_____。

（不管……都……）

7. 我跟你说了这么多，_____？（难道）

8. 在自己的父母有困难的时候，他都不肯帮忙，_____

_____？（难道）

八 阅读理解　**Reading comprehension**

第一个被录取的人

一家著名的大公司要招聘人，很多人都来应聘，其中有很多学历很高、有丰富工作经验的人。

经过公司的三次选择，现在还剩下 11 个人，可是这个公司只要 6 个。今天是最后一次考试——面试，公司的总裁也将参加。

可是奇怪的是，有 12 个人坐在那里等着面试。总裁问："你们谁不是来应聘的？"坐在最后的一个男子站起来说："先生，在你们公司第一次的选择中，我就失败了，可是我想参加一下面试。"

大家都笑了，包括门口那个倒茶的老头儿。总裁觉得很奇怪："你连第一次选择都没有通过，难道还有必要来参加面试吗？"

那个男子说："因为我符合你们公司的要求。

| 录取 | lùqǔ | V |
| to enrol, to recruit, to admit |
| 招聘 | zhāopìn | V |
| to recruit |
| 学历 | xuélì | N |
| education background |
| 面试 | miànshì | V |
| to interview |
| 总裁 | zǒngcái | N |
| president |
| 包括 | bāokuò | V |
| to include |
| 必要 | bìyào | Adj |
| necessary |

虽然我只是本科毕业，中级职称，可是我有11年的工作经验，还在18家公司工作过。"

总裁连忙说："我不欣赏常常跳槽的人。"

男子说："我没有跳槽，是因为那18家公司都倒闭了，我才不得不换工作。"

大家又笑了，有一个人说："你可真倒霉。"

男子也笑了，说："这有点儿奇怪，不过，我不觉得自己倒霉。因为我有别人没有的经历，而且我只有31岁。"

这时，坐在门口的老头儿站起来给总裁倒茶。

那个男子接着说："我觉得在失败中学到的东西比成功的经验有用得多。因为成功的经验都差不多，可是失败的原因却有很大的不同。因此，别人成功的经历很难成为我们的财富，可是别人失败的过程却可以！这11年的经历培养了我观察人、观察事的能力。举个例子说吧，这里真正的总裁不是您，而是那位倒茶的老人。"

大家都惊呆了，议论纷纷地看着那个老头儿。老头儿笑了笑说："很好，你第一个被录取了——因为我很想知道我的表演什么地方出了问题。"

（选自《北京晚报》，作者张小失）

| 中级 | zhōngjí | Adj |
| intermediate |
| 职称 | zhíchēng |
| N professional title |
| (such as engineer, |
| professor, etc.) |
| 欣赏 | xīnshǎng | V |
| to appreciate, to like |
| 倒闭 | dǎobì | V |
| to go bankrupt, to close |
| down |
| 倒霉 | dǎoméi | Adj |
| unlucky |
| 财富 | cáifù | N wealth |
| 培养 | péiyǎng | V |
| to cultivate, to develop |
| 能力 | nénglì | N |
| ability |
| 例子 | lìzi | N example |

（一）判断正误　Decide if the following statements are true or false

1. 参加面试的人多了一个。　　　　　　　　　　　　（　　）

2. 坐在最后的男子没有通过以前的考试。　　　　　　（　　）

3. 那个男子来面试是因为公司通知他了。　　　　　　（　　）

4. 那个男子的学历很高，工作经验也很丰富。　　　　（　　）

5. 那个男子不喜欢长时间在一个公司工作。　　　　　（　　）

6. 他工作过的公司都倒闭了，所以他是一个倒霉的人。（　　）

7. 那个男子很感谢他失败的经历。　　　　　　　　　（　　）

8. 其他人观察人和事的能力都没有那个男子强。　　　（　　）

9. 总裁故意不让别人知道他是总裁，是因为他比较紧张，担心有不

　　好的表现。　　　　　　　　　　　　　　　　　　　　　（　　）

（二）不查词典，说一说下列词语的意思

Tell the meanings of the following words without looking them up in the dictionary

应聘＿＿＿＿＿＿＿＿　　　　跳槽＿＿＿＿＿＿＿＿

观察＿＿＿＿＿＿＿＿　　　　表演＿＿＿＿＿＿＿＿

九　作文　Write an essay

要求：假设你是马阳的老师，请你给马阳写一封信，说明你在他选择专业问题上的看法。500 字以上。

Directions: Suppose you are Ma Yang's teacher. Please write a letter to Ma Yang and tell him your views about choosing his major in more than 500 characters.

（16×32=512字）

zhè tiáo gōng lù gāi bu gāi xiū
这条公路该不该修
Should this road be built

一 根据课文内容填空　Fill in the blanks based on the text

1. _____以来，中国很多原来_____的乡村依靠公路发展起来了，可是政府给周庄修公路却_____了周庄居民和很多专家的_____反对。

2. 周庄有九百多年的_____，走在周庄的小桥上，就像走进了一幅中国的_____。周庄古老的风景既是周庄人重要的_____，又是他们的_____。

3. 公路修通以后，安静的古城周庄将失去它_____的传统风格，成为一个热闹的现代化_____。周庄_____的风景会被完全破坏掉，周庄的命运将是中国人永远的_____。

4. 当地的政府部门认为修公路并不需要_____明清时代的建筑，公路修好后不仅可以让这两个城市之间的交通更_____，也可以_____中间农村地区的经济发展，还能_____很多钱。_____为了_____古城就要让它周围永远都是一片_____吗？

二 根据课文内容选择正确答案　Choose the right answers based on the text

1. 为什么很多地方自己出钱请人来修路？
   A. 因为他们喜欢又宽又平的公路
   B. 因为他们那儿的风景很优美，却没有游客
   C. 因为他们想发展当地的经济
   D. 因为他们想向周庄学习

2. 周庄的人为什么不喜欢修路？
   A. 因为修路要花很多钱
   B. 因为修路要占用很多土地
   C. 因为修路后会吸引来成千上万的中外游客
   D. 因为修路后会破坏周庄特殊的传统风格

3. 下面哪一项不是周庄人对周庄的希望？

    A. 不要改变周庄的传统风格

    B. 要限制每年来周庄的中外游客的数量

    C. 新修的公路从周庄的外面走

    D. 不要成为现代化的交通中心

4. 政府为什么要让公路从周庄中心穿过？他们有什么理由？

    A. 修这条公路不可能破坏周庄的古迹

    B. 修这条路并不需要拆掉明清时代的建筑

    C. 修这条公路可以改善周庄落后的交通状况

    D. 以上都是

5. 从文章中我们可以看出，作者对在周庄修公路的看法是：

    A. 支持   B. 反对   C. 中立   D. 无所谓

 三 用线将可以搭配的词语连起来

Draw lines to match the words on the left with the words on the right

节约	公路走向
获得	专家意见
设计	经济发展
破坏	修建费用
加快	很多财富
征求	古老风格

 四 先用线将可以搭配的词语连起来，再用搭配好的短语填空

Draw lines to match the words on the left with the words on the right. Then fill in the blanks with the phrases newly formed

偏僻落后的	古城镇
繁荣热闹的	乡村
安静美丽的	大城市
重要的	传统风格
特殊的	中外游客
成千上万的	经济来源

周庄既不是_____，也不是_____，它是一座_____，有九百多年的历史和_____。旅游是周庄_____，每年都有_____来这里参观旅游。

五 **在括号里填上合适的量词** Fill in the blanks with the right measure words

一（　　　　　）城镇　　一（　　　　　）田野　　一（　　　　　）山水画

一（　　　　　）河流　　一（　　　　　）公路　　一（　　　　　）规律

六 **用括号里的疑问代词替换画线部分**
Substitute the underlined parts with the interrogative pronouns in the parentheses

1. 所有的地方都应该修高等级公路。（什么）

_____

2. 每个人都不需要他的理解。（谁）

_____

3. 所有的地方我都没有去过。（哪儿）

_____

4. 这里所有的人都不喜欢他。（谁）

_____

5. 李明用了很多方法跟小丽解释，小丽都不听。（怎么）

_____

6. 所有的饭菜他都喜欢。（什么）

_____

七 造句 Make sentences

1. 不仅……也…… _____

2. 既……又…… _____

3. 而 _____

八 阅读理解　Reading comprehension

古代笑话两则

（一）翻筋斗

　　从前有一个叫潘新科的人，在当地谁都知道他是一个孝顺儿子。一天，他的父亲死了，他想把父亲的葬礼办得隆重一点儿，就请了一个先生来念祭文，他和妻子池潘氏跪在地上听。

　　可是谁知道那个先生虽然有点儿名气，可是没有真本领，认识的字很少。当他念祭文念到潘新科的名字时，三个字都不认识，旁边又有很多人在听，怎么办呢？他只好按照"不认识的字读半边"的认字方法念："孝子番斤斗。"

　　潘新科一听，心里想："难道葬礼上还有这样的规定吗？父亲死了，儿子得翻筋斗？"

　　这时，先生又念了："孝子——番斤斗！"

　　大家都在看着呢，潘新科没有办法，只好翻了一个筋斗，谁让他是一个孝顺儿子呢？

　　下面该念孝媳池潘氏的名字了，可糟糕的是，先生也不认识"池"字，只好也念半边："孝媳——也番！"

　　池潘氏当场晕倒。

翻筋斗	fān jīndǒu
to turn a somersault	
潘　Pān　PN	
a surname	
葬礼　zànglǐ　N	
funeral	
隆重　lóngzhòng	
Adj　grand, solemn	
祭文　jìwén　N	
funeral oration	
池　Chí　PN	
a surname	
跪　guì　V　to kneel	
半边　bànbiān　N	
one side, half	
孝子　xiàozǐ　N	
filial son	
孝媳　xiàoxí　N	
filial daughter-in-law	
当场　dāngchǎng	
Adv　on the spot	
晕倒　yūndǎo　V	
to faint	

回答问题　Answer the questions

1. 潘新科请来的先生是一个什么样的人？ _____

2. 潘新科为什么在父亲的葬礼上翻筋斗？ _____

3. 潘新科的妻子为什么晕倒了？ _____

4. 哪些汉字的读音跟它其中的一个部件读音一样？哪些汉字的读音跟部件

的读音不同？你能举出几个例子来吗？

（二）耳朵在口袋里

从前有一个知县刚到一个地方上任，他想挂一个蚊帐，就对差役说："你去买两根竹竿来。"

这个知县的声调有点儿问题，差役把"竹竿"听成了"猪肝"，连忙跑到肉店去，对老板说："新来的知县要两斤猪肝，你是个聪明人，应该知道怎么办吧？"

老板马上明白了他的意思，给了他两斤最好的猪肝，又送了他一对猪耳朵。

离开肉店后，差役想："老爷只让我买猪肝，这对耳朵当然就是我的了。"于是他把猪肝包好，把耳朵放进了自己的口袋里。

回来以后，知县一看他买的猪肝，大怒："谁让你买猪肝了？你听清楚了没有？你的耳朵到哪儿去了？"

差役一听吓坏了，连忙回答说："老爷，耳朵……在……在……在我口袋里！"

耳朵	ěrduo	N	ear
从前	cóngqián	N	long long ago
知县	zhīxiàn	N	county magistrate in feudal China
上任	shàng rèn	V//O	to take office
蚊帐	wénzhàng	N	mosquito net
差役	chāiyì	N	bailiff in a *yamen* (local government in feudal China)
根	gēn	M	*a measure word for long, thin pieces*
竹竿	zhúgān	N	bamboo pole
猪肝	zhūgān	N	pork liver
明白	míngbai	V	to understand, to know
老爷	lǎoye	N	(*used by domestic servants*) master, lord
怒	nù	V	to be angry

回答问题　Answer the questions

1. 新来的知县想要什么？为什么？ _____

2. 差役把"竹竿"听成了什么？ _____

3. 肉店的老板为什么要送给差役一对猪耳朵？ _____

4. 知县说"你的耳朵到哪儿去了"是什么意思？

_____

5. 你还知道哪些关于同音字或近音字的笑话？

_____

 九　作文 **Write an essay**

要求：假设你是周庄的居民，请你给中央政府写一封信，说明你对在周庄中心修公路的看法。500 字以上。

Directions: Suppose you are a resident of Village Zhou. Please write a letter to the Central Government, telling your view on building the road in Village Zhou in more than 500 characters.

（16×32=512字）

wǎn nián shēng huó
晚 年 生 活
In one's later years

一　**根据课文内容填空**　Fill in the blanks based on the text

1. 李青以前在一家食品厂工作，生活虽然不是很_____，但还比较_____
　　____。可是突然有一天，她因为所在的企业_____而失业了，_____
　　的生活也一下子被打乱了。

2. 经济条件不_____李青在家里做家庭妇女。她有过一次_____的婚
　　姻，还要_____孩子上学，没有工作_____是不行的。

3. 人们开始都觉得只有没有儿女或者被儿女_____的老人才去养老院
　　住，所以住在养老院里的老人总觉得自己很_____，_____也很低
　　落。李青每天都投入很多时间和_____来照顾这些老人，她觉得，__
　　_____放弃自己的休息时间，也要照顾好他们。

4. 现在，年轻人的工作_____越来越大，老人们不愿意再给子女增加____
　　____，_____要求来养老院，并且渐渐地把这里_____了自己的家。

二　**根据课文内容选择正确答案**　Choose the right answers based on the text

1. 李青以前的生活怎么样？
　　A. 钱不多，但是比较安定　　　　B. 钱不少，但是不太稳定
　　C. 挣钱很多，也很安静　　　　　D. 挣钱很多，但是很忙

2. 下面哪一项不是李青下岗后不能待在家里的原因？
　　A. 家里不富裕　　　　　　　　　B. 她得一个人供孩子上学
　　C. 她比较有事业心　　　　　　　D. 家里人都劝她再找一份工作

3. 李青办养老院的钱不是从哪儿来的？
　　A. 自己存的　　　　　　　　　　B. 找亲戚借的
　　C. 找邻居借的　　　　　　　　　D. 找朋友借的

120

4. 李青没有为养老院的老人们做什么？

    A. 陪他们聊天儿　　　　　　　B. 供他们的孩子上学

    C. 请医生给他们检查身体　　　D. 请学生来跟他们交流

5. 为什么老人问题将来会是一个严重的社会问题？

    A. 因为将来老人退休的年龄会很早

    B. 因为将来老人的退休金会很少

    C. 因为将来年轻人很少，而老人会很多

    D. 因为将来老人都要到养老院来生活

三　先用线将可以搭配的词语连起来，再用搭配好的短语填空

Draw lines to match the words on the left with the words on the right. Then fill in the blanks with the phrases newly formed

克服	努力		情绪	坚强
转变	负担		性格	幸福
增加	困难		问题	低落
放弃	观念		晚年	严重

李青刚下岗的时候，＿＿＿＿＿＿，每天都不高兴，也不知道自己应该干什么。后来她发现社会上的老人得不到很好的照顾，＿＿＿＿＿＿，为了让老人＿＿＿＿＿＿，她就办了个养老院。一开始碰到了很多困难，可是李青是一个＿＿＿＿＿＿的女人，她没有＿＿＿＿＿＿，而是想很多办法＿＿＿＿＿＿。很多老人开始是因为怕给子女＿＿＿＿＿＿才来养老院的，但是过了一段时间，他们发现在养老院比在家还好，慢慢地，他们就＿＿＿＿＿＿了。

四　将下列双重否定句改为肯定句

Change the following double negative sentences into affirmative sentences

例：养老院里的人没有不喜欢李青的。

    → 养老院里的人都喜欢李青。

1. 到了上海没有不去周庄的。

    → ＿＿＿＿＿＿＿＿＿＿＿＿＿＿＿＿＿＿＿

2. 上课不能没有课本。

    → ＿＿＿＿＿＿＿＿＿＿＿＿＿＿＿＿＿＿＿

3. 中国没有他没去过的地方。

    → ＿＿＿＿＿＿＿＿＿＿＿＿＿＿＿＿＿＿＿

4. 不好好儿学习就学不好汉语。

→ _____

5. 关于电脑，没有他不知道的。

→ _____

五 将下列肯定句改成双重否定句

Change the following affirmative sentences into double negative sentences

例：养老院里的人都喜欢李青。

→ 养老院里的人没有不喜欢李青的。

1. 老师病了，我们应该去看他。

→ _____

2. 所有的人都反对在周庄修公路。

→ _____

3. 养老院里一定要有护士。

→ _____

4. 听到这个消息，大家都很高兴。

→ _____

5. 只有大家都努力工作，工厂的效益才会好。

→ _____

六 用括号里的词语完成对话

Complete the dialogues with the words or patterns in the parentheses

1. A：你认为应该不应该在周庄修公路？

   B：_____。（在……看来）

2. A：你的父母对你学习农业有什么意见？

   B：_____。（在……看来）

3. A：老师，我不太舒服，能回宿舍休息吗？

   B：_____。（既然……就……）

4. A：外边下雨了。

   B：_____。（既然……就……）

5. A：你一定要学这个专业吗？

   B：_____。（哪怕……也……）

6. A：听说你父母不同意你跟他结婚。

　　B：_____。（哪怕……也……）

7. A：你为什么不跟孩子住在一起，要自己住养老院呢？

　　B：_____。（再说）

8. A：你为什么要一个人去旅行，不跟旅行团一起去呢？

　　B：_____。（再说）

9. A：你为什么要送给山田一个篮球？

　　B：明天是山田的生日，我听说他很喜欢运动，_____

　　　_____。（于是）

10. A：你有汉语辅导老师吗？

　　B：我刚来的时候并没有辅导老师，_____

　　　_____。（于是）

七　阅读理解　**Reading comprehension**

陪　聊

　　母亲喜欢和我聊天儿，她跟我聊农村的事，我跟她讲城市的事，两个人都很开心。

　　可是，我没有多少时间陪母亲聊天儿，因为家里的经济条件不允许。吃饭穿衣要钱，孩子上学要钱，母亲吃药看病也要钱。我的工资越来越不够了，我只好干起了第二职业。

　　我的第二职业是陪聊，就是陪人聊天儿，这在我住的城市还是一个新的职业。

　　我的客人是一个阿婆，单身一人住一所大房子，家里很漂亮，可是她的生活很孤单、很无聊，想找个人晚上陪她聊聊天儿。在我之前，她找过好几个人，都不满意，可是她很喜欢跟我聊天儿，每天都让我陪她聊到晚上 11 点。她给工钱也很大方，每小时 10 块钱，虽然只聊四个小时，但是她总给我五个小时的

工资　gōngzī
N　salary

职业　zhíyè
N　job, occupation

阿婆　āpó
N　intimate form of address for an old woman

单身　dānshēn
N　single, unmarried

工钱　gōngqián
N　money paid for odd jobs

大方　dàfang
Adj　generous

工钱。

　　说实话，这是一个不错的第二职业，比较轻松，收入也不错。可是让我遗憾的是，从此就没有了跟母亲聊天儿的时间。每次晚上回家，母亲都一个人坐在客厅里等我，我想陪她说几句话，可是刚坐下就被她催走了："锅里热着饭呢，快吃了去睡觉吧，明天一早还要上班呢。"

　　这样的日子过了三个多星期，我在阿婆家除了她和一个保姆以外，没有见过其他的人。后来有一天晚上，来了一个年轻人，他是开着一辆豪华车来的。他进了客厅，对阿婆叫了一声"妈"，在客厅里坐了几分钟，说了几句话就走了。离开的时候，他给了阿婆很多钱。

　　我很奇怪，因为以前我一直以为阿婆是个没有儿女的孤寡老人呢。我问阿婆："他是你儿子吗？他离这儿很远吗？"阿婆回答说："是。他就住在附近。""他住得这么近，又有车，为什么……？"

　　"你是说他为什么不来看我，不来陪我说话吧？"阿婆很难过地说，"因为他太有钱了，他的一个小时值 100 块钱。"

　　原来我总以为，我的母亲是最可怜的母亲：他的儿子没有钱，为了挣钱连跟她聊天儿的时间都没有。想不到还有一个母亲，她的儿子太有钱了，也没有时间坐下来陪她聊天儿。

（选自《辽沈晚报》，作者廖均）

实话　shíhuà
N　truth

保姆　bǎomǔ
N　housemaid

豪华　háohuá
Adj　luxurious

孤寡　gūguǎ
Adj　heirless and
without support

回答问题　Answer the questions

1. 他喜欢跟母亲聊天儿吗？他们聊什么？＿＿＿＿＿＿＿＿＿＿

2. 他的母亲以前在哪里生活？＿＿＿＿＿＿＿＿＿＿＿＿＿＿

3. 他后来为什么不能跟母亲聊天儿了？＿＿＿＿＿＿＿＿＿＿

4. 他觉得阿婆是一个什么样的老人？ _____

5. 你觉得阿婆过得开心吗？为什么？ _____

6. 你觉得谁是最可怜的母亲？ _____

 八　作文　Write an essay

《假如我老了》

提示：每个人都会变老，当你老了的时候，你想过一种什么样的老年生活？为什么？

500 字以上。

Cues: Everyone will grow old. When you are old, what kind of life do you want to live? Why? Use more than 500 characters.

（16×32=512字）

单元测试三（11~15 课）

Unit Test 3 (Lessons 11~15)

（60 分钟）

(60 minutes)

一 ▲ **根据拼音写汉字**（12 分，每题 1 分）
Write the characters according to the *pinyin* (1 mark for each question with a total of 12 marks)

zāogāo   fènnù   tòngkuai   lùxù

（   ）   （   ）   （   ）   （   ）

jīchǔ   zhǎngwò   chōngmǎn   dòufu

（   ）   （   ）   （   ）   （   ）

piānpì   jiāo'ào   fánróng   yālì

（   ）   （   ）   （   ）   （   ）

二 ▲ **选词填空**（20 分，每题 1 分）
Choose the words to fill in the blanks (1 mark for each question with a total of 20 marks)

1. 一条宽阔的马路修到了周庄的门口，打破了这里人们_____的生活。

   A. 平静   B. 安静   C. 平安   D. 文静

2. 他没有通过 HSK 考试，最近_____很低落。

   A. 感情   B. 情绪   C. 爱情   D. 情况

3. 龙借了公鸡的角以后就不见了，很_____，他不想把角还给公鸡了。

   A. 突然   B. 必然   C. 显然   D. 忽然

4. 他没有参加第三场比赛，因为他觉得没有什么希望，就自愿_____了。

   A. 抛弃   B. 放弃   C. 放心   D. 遗弃

5. 他知道我们家生活有困难，就_____过来帮助我们照顾老人。

   A. 自动   B. 行动   C. 主动   D. 激动

6. 他的病已经很_____了，你们应该早一点儿把他送到医院。

    A. 严重   B. 严肃   C. 重要   D. 重视

7.《牛郎织女》是一个著名的民间_____故事。

    A. 传统   B. 传记   C. 传说   D. 流传

8. 他三十多年的梦想明天就要_____了，怎么能不激动呢？

    A. 实行   B. 实现   C. 现实   D. 现象

9. 每个人都会变老，都会死去，这是自然_____。

    A. 规定   B. 规则   C. 规律   D. 法规

10. 他下岗以后，全家人都_____了经济来源。

    A. 过去   B. 失去   C. 丢   D. 抛弃

11. 只用黑白两种颜色是他作品的一贯_____。

    A. 风格   B. 风味   C. 风俗   D. 风向

12. 不要问我，谁跟这件事_____你找谁去。

    A. 关于   B. 关系   C. 对于   D. 有关

13. 因为质量有问题，这座楼房已经_____修建了。

    A. 禁止   B. 停下   C. 停止   D. 止步

14. 大家都谈过了，小王，你也说说你的_____吧。

    A. 意见   B. 意思   C. 建议   D. 意义

15. 这些年你一个人在国外留学一定发生了很多事吧？谈谈你的_____，好吗？

    A. 经验   B. 经历   C. 经过   D. 经常

16. 他已经_____了你家的窗子是他打碎的。

    A. 认识   B. 认为   C. 承认   D. 原谅

17. 他把门窗关得紧紧的，一个人躲在里面吸烟，整个房间里_____了呛人的烟味。

    A. 充分   B. 充满   C. 充足   D. 充当

18. 他_____是你的爸爸，你怎么说不是呢？

    A. 明明   B. 明显   C. 显然   D. 明白

19. 这个工厂生产的产品因为不_____标准被用户退了回来。

    A. 适合   B. 合适   C. 符合   D. 符号

20. 他_____我帮他打听一下这个学校的情况。

    A. 替   B. 问   C. 按   D. 托

三 选词填空（10分，每题1分）

Choose the words to fill in the blanks (1 mark for each question with a total of 10 marks)

1. 我_____他看做我最好的朋友。

    A. 把   B. 被   C. 让   D. 叫

2. 他_____年纪大的同事叫做"新新人类"。

    A. 把   B. 被   C. 让   D. 叫

3. 小王很有名，全校的同学_____知道他的。

    A. 有不   B. 没有不   C. 有没有   D. 不没有

4. 这个会议很重要，每个人都得去，我_____参加_____行。

    A. 不……不……   B. 要……不……

    C. 没……没……   D. 非……不……

5. 他_____能这么说话呢？太没有礼貌了！

    A. 谁   B. 什么   C. 怎么   D. 为什么

6. 他刚到中国的时候，_____都想尝尝。

    A. 哪儿   B. 谁   C. 怎么   D. 什么

7. 我刚到这里，_____也不认识，没有人能帮我的忙。

    A. 哪儿   B. 谁   C. 什么   D. 为什么

8. 我_____知道他是来检查工作的？我还以为他是个退休的老头儿呢！

    A. 什么   B. 谁   C. 为什么   D. 哪儿

9. 小张完全赞成小王的意见，_____小李坚决反对。

    A. 可是   B. 而   C. 而是   D. 却

10. 我把我_____知道的所有情况都告诉你了。

    A. 全   B. 所   C. 都   D. 其

四 用括号里的词语完成句子（21分，每题3分）

Complete the sentences with the words or patterns in the parentheses (3 marks for each question with a total of 21 marks)

1. 我非去亲眼看看不可，_____。

                          （哪怕……也……）

2. 虽然我们这次会议不允许请假，可是_____。

                          （既然……就……）

3. 他从来都不肯收拾自己的房间，_____。（于是）

4. 李青决心一定要把养老院办好，_____。

                          （不管……都……）

5. 我跟你说了这么多，_____？（难道）

6. 你一会儿说你是从美国来的，一会儿说是从加拿大来的，_____？（到底）

7. 我们得重视保护文物了，_____。（否则）

五 阅读理解（12分） Reading comprehension (12 marks)

这是越南战争中的一个士兵的故事。 战争结束以后，他回到美国，从旧金山给父母打了一个电话："爸爸妈妈，我要回家了。但是我想求你们帮我一个忙，我要带一位朋友一起回来。" "当然可以。"父母回答道，"我们见到他会很高兴的。" "有些事必须告诉你们，"儿子继续说，"他在战争中受了重伤。他踩到了一个地雷，失去了一只胳膊和一条腿。他没有地方可以去，我希望他能来我们家，和我们一起生活。"	越南　Yuènán　PN Vietnam 战争　zhànzhēng　N　war 士兵　shìbīng　N　soldier 旧金山　Jiùjīnshān PN　San Francisco 继续　jìxù　V　to continue 重伤　zhòngshāng N　serious injury 踩　cǎi　V　to step on 地雷　dìléi　N　landmine 胳膊　gēbo　N　arm 腿　tuǐ　N　leg

"我很遗憾听到这件事，孩子。不过，也许我们可以帮他另外找一个地方住下。"

"不，我希望他能和我们住在一起。"

"孩子，"父亲说，"你不知道你在说些什么。这样一个残疾人将会给我们带来沉重的负担。我们有自己的生活，我们不能让这种事打扰我们的生活。我想你还是赶快回家来，把这个人忘掉吧。他自己会找到活路的。"

就在这个时候，儿子挂上了电话。

父母再也没有得到他们的孩子更多的消息。可是几天过后，他们接到旧金山警察局打来的一个电话，警察说他们的儿子从高楼上摔下来死了，警察局认为是自杀。父母伤心极了，赶紧坐上飞机飞往旧金山，并去市里的陈尸所辨认他们儿子的尸体。他们认出了他。然而他们吃惊地发现，他们的儿子只有一只胳膊和一条腿。

残疾人　cánjírén　N
the handicapped

沉重　chénzhòng
Adj　heavy

警察局　jǐngchájú　N
police station

摔　shuāi　V　to fall

自杀　zìshā　V
to kill oneself

陈尸所　chénshīsuǒ
N　morgue

辨认　biànrèn　V
to recognize

（一）判断正误（5分，每题1分）

Decide if the following statements are true or false (1 mark for each question with a total of 5 marks)

1. 儿子在战争中没有受到伤害。 （　　）

2. 父母不知道他们的儿子在战争中的情况。 （　　）

3. 儿子将和一位朋友一起回家。 （　　）

4. 父母不欢迎儿子的朋友是因为他们不愿意跟一位残疾人生活在一起。

（　　）

5. 其实失去一只胳膊和一条腿的正是儿子自己。 （　　）

（二）回答问题（7分） **Answer the questions (7 marks)**

1. 儿子回国后为什么没有马上回家，而是先打电话？（3分）

_____

_____

2. 你认为是谁杀死了儿子？为什么？（4分）

_____

_____

六 作文（25分） **Write an essay (25 marks)**

			环	境	保	护	与	经	济	发	展			

（16×32=512字）

zǒng cè shì
总测试
General Test

（90分钟）

(90 minutes)

一　根据拼音写汉字（15分，每题1分）
Write the characters according to the *pinyin* (1 mark for each question with a total of 15 marks)

qūbié	tíxǐng	xiànmù	hùxiāng	lǐyóu
(　　)	(　　)	(　　)	(　　)	(　　)

yánsù	bǎoguì	máodùn	zāogāo	wūrǎn
(　　)	(　　)	(　　)	(　　)	(　　)

jiàngluò	pǔsù	jìnzhǐ	xiàoshun	pāoqì
(　　)	(　　)	(　　)	(　　)	(　　)

二　写出下列词语的反义词（5分，每题0.5分）
Write the antonyms of the following words (0.5 mark for each question with a total of 5 marks)

热闹——　　　　无聊——　　　　胖——　　　　富——

香——　　　　多数——　　　　讨厌——　　　　宽——

生——　　　　存——

三　选词填空（10分，每题0.5分）
Choose the words to fill in the blanks (0.5 mark for each question with a total of 10 marks)

1. 这个门有点儿低，得低一下头，(　　　　)一下腰才能过去。
   A. 拍　　　　B. 围　　　　C. 弯　　　　D. 排

2. 这个孩子想一个人坐飞机去西藏，妈妈没有(　　　　)他的要求。
   A. 满足　　　　B. 满意　　　　C. 充满　　　　D. 避免

3. "火车快开了，(　　　　)走吧！"他着急地喊。
   A. 急忙　　　　B. 连忙　　　　C. 赶快　　　　D. 繁忙

4. 秋天，市场上水果、蔬菜的品种都很（　　　）。

   A. 充分   B. 增加   C. 完全   D. 丰富

5. 我对讲价很有（　　　）。

   A. 兴趣   B. 有趣   C. 感兴趣   D. 了解

6. 我有两个爱好，一个是吃东西，（　　　）一个是讲价。

   A. 其他   B. 其次   C. 另   D. 别的

7. 夏天的时候，你（　　　）去游泳吗？

   A. 往往   B. 常常   C. 平时   D. 从来

8. 我（　　　）来到中国，体重就增加了不少。

   A. 从此   B. 从前   C. 自从   D. 服从

9. 你每天吃那么多，又不锻炼，（　　　）减不了肥了。

   A. 害怕   B. 恐怕   C. 可怕   D. 不怕

10. （　　　）政治，我毫无兴趣，所以我常常看（　　　）经济的新闻。

   A. 对于、由于   B. 对于、关于

   C. 关于、对于   D. 由于、对于

11. 我给他们送去了结婚礼物，（　　　）祝他们新婚快乐。

   A. 和   B. 而且   C. 又   D. 并

12. 他的行为很奇怪，同学和朋友都纷纷表示不能（　　　）。

   A. 了解   B. 理解   C. 解释   D. 讲解

13. 不管发生什么，是他帮助我（　　　）了我的梦想，我会永远把他当做我的朋友。

   A. 实行   B. 实现   C. 现实   D. 现象

14. 大家（　　　）都看到了这个问题，但是没有一个人肯站出来说明。

   A. 明明   B. 明显   C. 显明   D. 明白

15. 这个人各方面都（　　　）我们的要求，我认为应该录取他。

   A. 适合   B. 合适   C. 符合   D. 符号

16. 电影快开始了，观众们（　　　）走进了电影院。

    A. 连续　　　　　　B. 陆续　　　　　　C. 继续　　　　　　D. 顺序

17. 那个小偷已经（　　　）了东西是他偷的。

    A. 认为　　　　　　B. 确定　　　　　　C. 承认　　　　　　D. 明确

18. 我要让我的每一天都过得有意义，我不愿意（　　　）日子，那是在浪费生命。

    A. 趁　　　　　　　B. 混　　　　　　　C. 度过　　　　　　D. 选

19. 这个孩子真可怜，才两个月就因为身体有残疾被父母（　　　）了。

    A. 放弃　　　　　　B. 放手　　　　　　C. 抛弃　　　　　　D. 丢下

20. 他喜欢过有（　　　）的生活，每天都在同一时间起床、锻炼和学习。

    A. 规律　　　　　　B. 规则　　　　　　C. 规定　　　　　　D. 规矩

四 **选词填空（12 分，每题 0.5 分）**
Choose the words to fill in the blanks (0.5 mark for each question with a total of 12 marks)

1. 这些书放（　　　）哪儿？我帮你放。

    A. 好　　　　　　　B. 在　　　　　　　C. 住　　　　　　　D. 下

2. 我昨天晚上复习生词复习（　　　）十二点才睡觉。

    A. 到　　　　　　　B. 在　　　　　　　C. 下　　　　　　　D. 住

3. 昨天你给我打电话的时候我正洗（　　　）澡呢。

    A. 了　　　　　　　B. 过　　　　　　　C. 完　　　　　　　D. 着

4. 他向我道了三（　　　）歉，请我一定要原谅他。

    A. 次　　　　　　　B. 遍　　　　　　　C. 下　　　　　　　D. 趟

5. 对不起，这张桌子是我的，请拿一（　　　）你放在上面的书。

    A. 次　　　　　　　B. 遍　　　　　　　C. 下　　　　　　　D. 趟

6. 服务员，请给我们拿点儿水（　　　）。

    A. 来　　　　　　　B. 去　　　　　　　C. 下　　　　　　　D. 上

7. 快过（　　　），那边车多，很危险！

    A. 来　　　　　　　B. 去　　　　　　　C. 下　　　　　　　D. 上

8. 听说他喜欢这本书，我就赶紧买了一本给他寄（　　　）。
　　A. 来　　　　　　B. 去　　　　　　C. 下　　　　　　D. 上

9. 我们刚坐下来，服务员就给我们送（　　　）了一壶茶水。
　　A. 进来　　　　　B. 进去　　　　　C. 下来　　　　　D. 过来

10. 我今天不能回宿舍了，这个书包你能帮我带（　　　）吗？
　　A. 出来　　　　　B. 出去　　　　　C. 回来　　　　　D. 回去

11. 东西太多了，我一个人可拿不（　　　）。
　　A. 下　　　　　　B. 了　　　　　　C. 住　　　　　　D. 动

12. 这间宿舍里放得（　　　）三张床吗？
　　A. 下　　　　　　B. 完　　　　　　C. 住　　　　　　D. 动

13. 虽然我们刚认识一个多星期，但是我们很谈得（　　　）。
　　A. 下　　　　　　B. 了　　　　　　C. 来　　　　　　D. 去

14. 这件衣服穿（　　　）一定很漂亮。
　　A. 下来　　　　　B. 出来　　　　　C. 起来　　　　　D. 过来

15. 雨大（　　　）了，你待会儿再走吧。
　　A. 起来　　　　　B. 出来　　　　　C. 下来　　　　　D. 进来

16. 虽然汉语很难，可是我还要坚持学（　　　）。
　　A. 起来　　　　　B. 下去　　　　　C. 下来　　　　　D. 出来

17. 你要的书我已经帮你找（　　　）了。
　　A. 起来　　　　　B. 下去　　　　　C. 下来　　　　　D. 出来

18. 我（　　　）坐火车来的。
　　A. 把　　　　　　B. 是　　　　　　C. 被　　　　　　D. 用

19. 对不起，最后一本书也（　　　）别人买走了。
　　A. 把　　　　　　B. 是　　　　　　C. 被　　　　　　D. 从

20. 就（　　　）那些很有用的书，也（　　　）他卖了。
　　A. 连、被　　　　B. 连、把　　　　C. 和、把　　　　D. 和、被

21. 他虽然只病了三天，可是却（　　　）妈妈急坏了。

    A. 把　　　　　　　B. 被　　　　　　　C. 连　　　　　　　D. 是

22. 他的想法我（　　　）会知道呢？

    A. 谁　　　　　　　B. 能　　　　　　　C. 怎么　　　　　　D. 什么

23. 他是个旅行家，（　　　）没去过？

    A. 什么　　　　　　B. 哪儿　　　　　　C. 谁　　　　　　　D. 为什么

24. 他的脾气很大，发起火来（　　　）劝也不听。

    A. 什么　　　　　　B. 怎么　　　　　　C. 谁　　　　　　　D. 哪儿

五 用括号里的词语完成句子（20分，每题2分）

Complete the sentences with the words or patterns in the parentheses (2 marks for each question with a total of 20 marks)

1. 他的爱好很多，_____。
   （除了……以外）

2. 你说错了，_____。
   （不是……而是……）

3. 他以为我喜欢吃辣的，_____。（根本）

4. 我喜欢吃中国菜，_____。（尤其）

5. 火车十点三十分开，我们十点二十分才到火车站，_____
   _____。（差点儿 / 差点儿没）

6. 这件事我只告诉了你一个人，你_____
   _____。（千万）

7. 这次考试难极了，_____。
   （无论……都……）

8. 天这么冷，你应该多穿一点儿衣服，_____
   _____。（否则）

9. 两年前在北师大学习汉语的时候我们曾经是同屋，_____
   _____？（难道）

10. 我要把我_____都告诉你。（所）

六 按照括号里的要求改写句子（12分，每题2分）

Rewrite the sentences following the directions in the brackets (2 marks for each question with a total of 12 marks)

1. 雨水把小路冲得干干净净的。

（改为"被"字句　Rewrite the sentence into the "被" sentence）

_____

2. 我从图书馆里借出来了一本书。

（改为"把"字句　Rewrite the sentence into the "把" sentence）

_____

3. 今年暑假我跟朋友去欧洲旅行了。

（用"是……的"句强调画线部分　Emphasize the underlined part using "是……的"）

_____

4. 他整个假期没有在家里待过一天。

（用"连……都……"句强调画线部分　Emphasize the underlined part using "连……都……"）

_____

5. 你这样热情地帮助他，他会感谢你的。

（改为反问句　Change the sentence into a rhetorical question）

_____

6. 世界上什么事情都可能发生。

（改为双重否定句　Change the sentence into a double negative sentence）

_____

 七 阅读理解（7分，每题1分）

Reading comprehension (1 mark for each question with a total of 7 marks)

华 佗

华佗是中国古代一位非常有名的医生。他从小学医，积累了丰富的经验，医术非常好。华佗不但能用中草药给人

华佗　Huà Tuó　PN	a famous physician in ancient China
积累　jīlěi　V	to accumulate
医术　yīshù　N	medical skill
中草药　zhōngcǎoyào N	Chinese herbal medicine

治病，而且还能给病人做外科手术。

一次，有个人喝醉了酒，把腿摔断了，华佗给他做手术。由于手术中这个人的酒还没有醒，所以他一点儿也没感觉到疼。这给了华佗很大启发。经过多次试验，华佗发明了一种麻醉药，解决了做手术时病人的疼痛问题，这也是中国最早的麻醉药。他用这种麻醉药给人做过不少大手术，人们都叫他"神医"。

华佗认为身体锻炼对人的健康十分重要。他仔细观察了几种动物的动作，编成一套体操。这套体操能使人全身放松，对健康有利，一直流传到现代。

曹操听说华佗医术很好，就请他来给自己治头疼病。华佗治好了他的病。曹操要求华佗留下来，永远为他治病。可是华佗不愿意只为一个人看病，就说妻子有病，要求回家去。后来，曹操知道华佗的妻子并没有生病，非常生气，派人把华佗抓来杀了。不久，曹操旧病发作，很快就死去了。

外科	wàikē	N	surgery
手术	shǒushù	N	operation
启发	qǐfā	V	to inspire, to enlighten
经过	jīngguò	V	to go through
试验	shìyàn	V	to test, to experiment
麻醉药	mázuìyào	N	anaesthetic
疼痛	téngtòng	Adj	painful
体操	tǐcāo	N	gymnastics
流传	liúchuán	V	to hand down
曹操	Cáo Cāo	PN	a warlord and one of the important figures during the Three Kingdoms Period
派	pài	V	to send, to appoint
发作	fāzuò	V	to suddenly break out or show effect

判断正误 Decide if the following statements are true or false

1. 中国最早的麻醉药是华佗发明的。　　　　　　　　　　（　　）

2. 华佗发现，喝醉了酒的人做手术时没有什么痛苦。他从这里得到启发，开始研究麻醉药。　　　　　　　　　　　　　（　　）

3. 华佗编的体操是根据观察各种动物的活动得出的。　　（　　）

4. 华佗被请去给曹操治病，后来他妻子病了，他才离开曹操回家。（　　）

5. 华佗是被曹操杀死的。　　　　　　　　　　　　　　　（　　）

6. 曹操杀死华佗是因为华佗没有治好他的病。　　　　　（　　）

7. 曹操因为生气而死。　　　　　　　　　　　　　　　　（　　）

八 作文（19分） Write an essay (19 marks)

《我眼中的中国人》

提示：你在中国一定遇到过各种各样的人和事吧？请写一写这些人和事，并通过这些人和事写一写你对中国人的印象。

Cues: You must have run into many different people and things in China. Please discuss them and write about your impressions of Chinese people.

				我	眼	中	的	中	国	人				

（16×32=512字）

单元测试一（1~5课）

一

拥挤	污染	安慰	锻炼
亲戚	提醒	烧烤	经验
羡慕	质量	避免	影响

二

1. B	2. C	3. A	4. D	5. D
6. B	7. C	8. A	9. D	10. A
11. C	12. B	13. A	14. D	15. B
16. C	17. D	18. A	19. D	20. B
21. A	22. D	23. D		

三

1. C	2. B	3. A	4. B	5. C
6. D	7. D	8. B	9. C	10. A
11. D	12. B	13. C	14. B	15. A

四

| 1. B | 2. C | 3. B | 4. A | 5. D | 6. C |

六

| 1. × | 2. √ | 3. × | 4. √ | 5. √ | 6. × |

单元测试二（6~10课）

一

| 增加 | 恢复 | 推荐 | 激动 | 熟悉 |
| 降落 | 翻译 | 邀请 | 朴素 | 严肃 |

二

1. B	2. A	3. D	4. B	5. C
6. D	7. A	8. D	9. A	10. B
11. D	12. C	13. A	14. B	15. D
16. A	17. A	18. B	19. D	20. A
21. C	22. B			

143

三

1. B　　　2. C　　　3. D　　　4. D　　　5. C
6. B　　　7. B　　　8. C　　　9. C　　　10. B

五

1. 山下请假的理由没有马里那么充分。

2. 我被那个人骗了。

3. 他的话气得老师直发抖。

4. 我和同屋是去年暑假跟旅行团一起去云南的。

5. 他连饭都没有时间吃。

六

1. √　　　2. ×　　　3. ×　　　4. ×　　　5. ×　　　6. √

单元测试三（11~15课）

一

糟糕	愤怒	痛快	陆续
基础	掌握	充满	豆腐
偏僻	骄傲	繁荣	压力

二

1. A	2. B	3. C	4. B	5. C
6. A	7. A	8. B	9. C	10. B
11. A	12. D	13. C	14. A	15. B
16. C	17. B	18. A	19. C	20. D

三

1. A　　　2. B　　　3. B　　　4. A　　　5. C
6. D　　　7. B　　　8. D　　　9. A　　　10. B

五

1. ×　　　2. √　　　3. ×　　　4. √　　　5. √

总测试

一

区别	提醒	羡慕	互相	理由
严肃	宝贵	矛盾	糟糕	污染
降落	朴素	禁止	孝顺	抛弃

二

| 安静 | 有趣 | 瘦 | 穷 | 臭 |
| 少数 | 喜欢 | 窄 | 熟 | 取 |

三

1. C	2. A	3. C	4. D	5. A
6. C	7. B	8. C	9. B	10. B
11. D	12. B	13. B	14. A	15. C
16. B	17. C	18. B	19. C	20. A

四

1. B	2. A	3. D	4. A	5. C
6. A	7. A	8. B	9. D	10. D
11. B	12. A	13. C	14. C	15. A
16. B	17. D	18. B	19. C	20. A
21. A	22. C	23. B	24. C	

六

1. 小路被雨水冲得干干净净的。

2. 我把书从图书馆里借出来了。

3. 我是今年暑假跟朋友去欧洲旅行的。

4. 他整个假期连一天也没有在家里待过。

5. 你这样热情地帮助他，他怎么会不感谢你呢？

6. 世界上没有不可能发生的事情。

七

| 1. √ | 2. √ | 3. × | 4. × | 5. √ | 6. × | 7. × |

版权声明

  《汉语·纵横》是一套对外汉语教材，其中部分课文是在真实文本的基础上改写而成的。由于时间、地域等多方面的原因，我们在无法与权利人取得联系的情况下使用了有关作者的作品，同时因教学需要，对作品进行了略微的调整。尽管我们力求忠实于原作品，但仍可能使作品失去一些原有的光彩。对此，我们深表歉意并衷心希望得到权利人的理解和支持。另外，有些作品由于无法了解作者的信息，未署作者的姓名，请权利人谅解。

  为尊重作者的著作权，现特别委托北京版权代理有限责任公司向权利人转付本套书中部分文字的稿酬。请相关著作权人直接与北京版权代理有限责任公司取得联系并领取稿酬。领取稿酬时请提供相关资料：本人身份证明；作者身份证明。

  具体联系方式如下：

  吴文波

  北京版权代理有限责任公司

  北京海淀区知春路 23 号量子银座 1403 室

  邮编：100191

  电话：86（10）82357056 /57/ 58   传真：86（10）82357055

编者

2011 年 8 月

中国文化百题

A Kaleidoscope of Chinese Culture

纵横古今,中华文明历历在目　享誉中外,东方魅力层层绽放

Unfold the splendid and fascinating Chinese civilization

了解中国的窗口

A window to China

- 大量翔实的高清影视资料，展现中国文化的魅力。既是全面了解中国文化的影视精品，又是汉语教学的文化视听精品教材。

- 涵盖了中国最典型的200个文化点，包括中国的名胜古迹、中国各地、中国的地下宝藏、中国的名山大川、中国的民族、中国的美食、中国的节日、中国的传统美德、中国人的生活、儒家、佛教与道教、中国的风俗、中国的历史、中医中药、中国的文明与艺术、中国的著作、中国的人物、中国的故事等18个方面。

- 简洁易懂的语言，展示了每个文化点的精髓。

- 共四辑，每辑50个文化点，每个文化点3分钟。有四种字幕解说，可灵活选择使用。已出版英语、德语、韩语、日语、俄语五个注释文种，其他文种将陆续出版。

目 录 Contents

第一辑 Album 1

中国各地之一
Places in China I

第一盘 DVD 1
- 中国概况　■北京　■上海　■天津　■重庆
- 山东省　■新疆维吾尔自治区　■西藏自治区
- 香港特别行政区　■澳门特别行政区

中国名胜古迹之一
Scenic Spots and Historical Sites in China I

第二盘 DVD 2
- 长城　■颐和园　■避暑山庄　■明十三陵　■少林寺
- 苏州古典园林　■山西平遥古城　■丽江古城　■桂林漓江
- 河姆渡遗址

第三盘 DVD 3
- 黄河　■泰山　■故宫　■周口店北京猿人遗址　■长江
- 龙门石窟　■黄山　■九寨沟　■张家界　■庐山

第四盘 DVD 4
- 秦始皇兵马俑　■马王堆汉墓　■殷墟
- 殷墟的墓葬　■殷墟的甲骨文　■曾侯乙编钟
- 法门寺地宫　■三星堆遗址　■古蜀金沙　■马踏飞燕

中国文明与艺术之一
Chinese Civilization and Art I

第五盘 DVD 5
- 书法艺术　■中国画　■年画　■剪纸
- 中国丝绸　■刺绣　■旗袍　■瓷器
- 中医的理论基础——阴阳五行　■针灸

英文版第一、二、三辑已经出版，第四辑将于2011年出版。

The first three albums of the English edition have been published. The fourth album will be published in 2011.

第四辑
即将出版！

每辑：5张DVD＋5册图书＋精美书签50枚
定价：￥980.00／辑
Each album: 5 DVDs + 5 books + 50 beautiful bookmarks
Price: ￥980.00/album